Les dinosaures
attaquent

ROMAIN AMIOT

FLEURUS BBC

fleuruseditions.com

Texte : Romain Amiot
Conception graphique de la collection : Studio Bosson
Réalisation graphique : François Egret pour Amulette
Contribution rédactionnelle et index : Jean-Pierre Marenghi

Films : Sur la trace des dinosaures et Les monstres du fond des mers
Producteur/Réalisateur : Jasper James
Producteur exécutif : Tim Haines
© 2003 BBC, Discovery Channel & Prosieben. Tous droits réservés.
BBC Worldwide Limited 2006. Distribué sous licence de BBC Worldwide
Limited agissant en qualité de représentant de 2 entertain Video Limited.
Prémastering : DVD Maker

Direction éditoriale : Christophe Savouré
Direction du développement : Nicolas Ragonneau
Direction de création : Laurent Quellet
Direction artistique : Armelle Riva
Édition : Françoise Ancey
Fabrication : Sabine Marioni

Merci à Tom, passionné d'os, de squelettes et de redoutables prédateurs !
Un grand merci à Julie Brousson, pour son œil de Troodon !

Photogravure : IGS-CP
Achevé d'imprimer par TWP en Malaisie.
Loi n° 49-956 du 16 juillet 1949 sur les publications destinées à la jeunesse.

Petit mode d'emploi...

Un **texte introductif** ouvre la double page sur le thème abordé.

Des **encadrés** proposent un éclairage particulier sur un thème précis.

Des **légendes** permettent de replacer les documents dans leur contexte.

Des **photos** et des **dessins** illustrent les différents aspects de la vie des dinosaures.

Une **frise**, déroulée sur l'ensemble du livre, apporte des informations anecdotiques en rapport avec la double page.

 L'astérisque (*) signale les mots expliqués dans le **lexique** à leur première apparition sur une double page.

 Les photos portant le logo **DVD** sont extraites du DVD *Sur la trace des dinosaures* et *Les monstres du fond des mers*.

 Les **pictogrammes** de la frise aident à identifier la nature de l'information :

 Chiffres et records

 Histoire et paléontologie

 *Faune et flore*

Anatomie

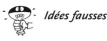 *Idées fausses*

Observation

Culture

Sommaire

Le Mésozoïque : l'ère des reptiles

Les 185 millions d'années qui constituent le Mésozoïque* auront été propices à l'épanouissement des reptiles. C'est durant cette période que sont apparus les dinosaures, maîtres incontestés des écosystèmes terrestres jusqu'à la fin du Crétacé.

La chronologie des géologues

L'histoire de la Terre, qui a débuté il y a environ 4,5 milliards d'années, a été divisée en ères auxquelles les géologues ont donné un nom. C'est au cours des trois dernières, le Paléozoïque, le Mésozoïque* et le Cénozoïque*, que la vie a évolué de façon spectaculaire. Les limites de ces époques correspondent à des événements importants qui ont affecté notre planète comme des catastrophes naturelles à grande échelle ayant entraîné la disparition de nombreuses espèces animales et végétales. L'ère des dinosaures est le Mésozoïque, séparé lui aussi en trois sous-époques (ou systèmes) : le Trias, le Jurassique et le Crétacé. Le Mésozoïque a duré environ 185 millions d'années, un moment relativement court comparé à l'histoire de la planète, mais très long en ce qui concerne l'histoire de la vie.

PALÉOZOÏQUE

540 Ma

370 Ma

La surface de la Terre n'a pas toujours été la même que celle d'aujourd'hui. Au début du Mésozoïque, tous les continents étaient réunis en un seul supercontinent, la Pangée, entouré par un océan unique, la Panthalassa. Lorsque les dinosaures sont apparus, ils ont rapidement pu se disperser partout. La Pangée s'est ensuite divisée en deux continents : au nord, la Laurasia (Amérique du Nord, Europe, Asie) ; au sud, le Gondwana (Amérique du Sud, Afrique, Australie, Inde et Antarctique). Laurasia et Gondwana étaient séparés par un océan, la Téthys, dont il ne reste aujourd'hui qu'une toute petite mer, la Méditerranée.

Panthalassa
Pangée
Laurasia
Téthys
Gondwana
Panthalassa
Atlantique
Thétys

Pendant le Mésozoïque, une grande partie de la France était sous la mer. Seules quelques îles plus ou moins importantes émergeaient. Ces îles correspondent aujourd'hui à certaines de nos chaînes de montagnes comme les Pyrénées, les Vosges, le Massif central ou encore le Massif armoricain.

Les noms donnés aux différentes périodes de l'histoire de la Terre ont une signification précise. "Trias" fait allusion aux trois sous-époques qui le composent ; "Jurassique" fait référence aux couches géologiques que l'on trouve dans le Jura ; "Crétacé" vient de la craie, l'une des roches les plus abondantes de l'époque.

MÉSOZOÏQUE					CÉNOZOÏQUE	QUATERNAIRE
TRIAS			JURASSIQUE	CRÉTACÉ		
50 Ma	235 Ma	210 Ma	205 Ma	150 Ma	135 Ma	65 Ma	2 Ma

🥚 Les climats au Mésozoïque

La découverte de nombreux fossiles d'animaux et de végétaux indique que, durant le Mésozoïque, la température était globalement bien plus élevée qu'aujourd'hui. Dans des pays tempérés, comme la France, ou d'autres plus froids, comme le Canada, chaleur et humidité régnaient. Pour preuve, la mise au jour de crocodiles fossiles, qui ne vivent habituellement que dans des environnements "tropicaux". En outre, les données géologiques et paléontologiques montrent qu'il n'y avait probablement pas de calottes glaciaires aux pôles. De telles conditions climatiques ont sans doute permis aux dinosaures d'atteindre des tailles gigantesques.

⚙️ Explosion de la vie

☠️ Extinction de masse

🦕 Apparition des dinosaures

🐁 Apparition des premiers mammifères

🦤 Apparition des premiers oiseaux

🧍 200 000 ans, Homo sapiens

Ma : millions d'années

DÉFINITION

La géologie est la science qui étudie les éléments constitutifs du sous-sol de la Terre, comme les roches, les minéraux, les sédiments ou les fossiles. Elle est divisée en de nombreuses spécialisations dont la paléontologie qui consiste à analyser toute trace ou tout reste laissés par un être vivant dans la roche : os, dent, coquille, empreinte…

On nomme encore parfois le Mésozoïque "ère secondaire". Il s'agit d'un ancien terme proposé par les géologues au XVIIIe siècle qui divisaient les couches géologiques en quatre grandes ères : primaire (maintenant Paléozoïque), secondaire (Mésozoïque), tertiaire (Cénozoïque) et quaternaire.

On dit souvent que le Mésozoïque est l'ère des reptiles, et le Cénozoïque, celle des mammifères. Cela ne signifie pas que les mammifères sont apparus après la disparition des dinosaures. Bien au contraire, les premiers mammifères datent du Trias supérieur, et ont donc quasiment coexisté avec les dinosaures !

Qui étaient les dinosaures ?

Ils ont régné sur Terre pendant plus de 185 millions d'années avant de disparaître brutalement. L'étonnant succès de ces créatures d'un autre âge demeure aujourd'hui encore un mystère pour les scientifiques qui continuent de découvrir chaque année des dizaines de nouvelles espèces.

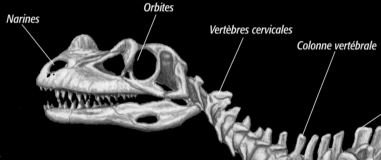

Narines

Orbites

Vertèbres cervicales

Colonne vertébrale

Vertèbres dorsales

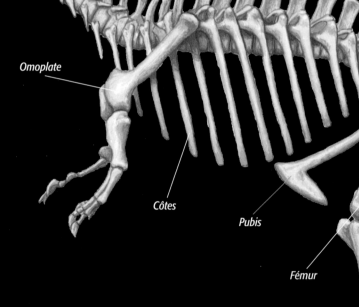

Omoplate

Côtes

Pubis

Fémur

Tibia et péroné

Phalanges

Reptile, oiseau et mammifère... !

Bien que les dinosaures soient des animaux très différents de ce que nous connaissons habituellement, les paléontologues ont remarqué des similitudes entre les dinosaures et certains animaux actuels. En voyant marcher un *Velociraptor*, on ne peut s'empêcher de penser à la démarche balancée d'une autruche. Lorsqu'un *Triceratops* charge, les trois cornes menaçantes pointées en avant, il rappelle étrangement l'assaut du rhinocéros. Les dinosaures constituent donc un groupe totalement à part possédant des caractéristiques de reptiles (au niveau de leur squelette), mais aussi d'oiseaux et de mammifères en ce qui concerne leurs biologies, leurs modes de vie et leurs façons de se déplacer.

En 1842, l'anatomiste anglais Richard Owen crée le mot "dinosaure", du grec deinos "terrible" et sauros "lézard". À cette époque, le scientifique ne savait pas encore qu'il existait des dinosaures plus petits que des lapins !

Pour baptiser un dinosaure, les paléontologues ne manquent pas d'originalité. Le sauropode*, dont les restes ont été découverts au milieu des vignes, a été nommé Ampelosaurus, le "lézard du vignoble". Elvisaurus était un théropode qui possédait une crête sur la tête rappelant la coiffure d'Elvis Presley !

De véritables colonisateurs !

Les dinosaures ont vécu sur tous les continents et à toutes les latitudes. Ils étaient capables de supporter aussi bien les fortes chaleurs de l'équateur que les climats plus rigoureux des pôles Nord et Sud de l'époque. Attention toutefois à ne pas croire que tous les dinosaures aient vécu en même temps. Un *Tyrannosaurus rex*, par exemple, n'aurait jamais pu s'attaquer à un stégosaure, car ce dernier vivait plus de 80 millions d'années avant l'apparition du terrible prédateur. Il est aussi peu probable que *Velociraptor*, qui vivait en Mongolie et en Chine, ait un jour chassé les *Centrosaurus* (dinosaures herbivores du Canada). Même si ces deux dinosaures ont vécu au même moment, il aurait fallu que l'un des deux traverse l'océan Pacifique pour se rencontrer !

NE PAS CONFONDRE !

On appelle souvent "dinosaure" tout grand reptile disparu, alors que ce terme est strictement réservé à un groupe qui ne comporte que des animaux terrestres. Les reptiles marins, tels les ichthyosaures, les plésiosaures ou encore les mosasaures ainsi que les ptérosaures (reptiles volants) qui vivaient en même temps que les "terribles lézards", ne sont pas des dinosaures.

De nobles ancêtres

Les dinosaures appartiennent au groupe des archosauriens, terme qui signifie littéralement "reptiles souverains". C'est dans ce groupe que l'on trouve aussi les crocodiles, les plus proches cousins actuels des dinosaures, et d'autres reptiles aujourd'hui disparus. Parmi ceux-ci, les ptérosaures (reptiles volants) sont de loin les plus connus (*voir p.68-69*), mais il existait aussi les phytosaures (ressemblant aux crocodiles), les paisibles ætosaures (reptiles herbivores) et les terribles rauisuchiens, les plus gros prédateurs du Trias. C'est au cours de cette ère que se sont développés les archosauriens et que sont apparus les dinosaures.

Ilion

Aetosaurus

Ischion

Vertèbres caudales

Crâne et squelette de Ceratosaurus.

Les squelettes entiers de dinosaures sont très rares. Les paléontologues ne trouvent généralement que des os ou fragments d'os isolés. Il est toutefois possible d'identifier un dinosaure avec quelques fossiles seulement. Certaines espèces ne sont, en effet, connues que par leurs dents !

Au fil des découvertes, les paléontologues se sont aperçus que, durant le Mésozoïque*, tout animal terrestre de plus de 50 kg était un dinosaure. Les dinosaures devaient donc dominer la plupart des environnements terrestres, empêchant les autres groupes de les concurrencer.

Les principaux groupes

Pour mieux comprendre les relations de parenté entre les dinosaures, des classifications ont été créées sur la base de caractères particuliers observés sur leur squelette. Ces arbres généalogiques sont encore aujourd'hui très discutés par les paléontologues, car certains dinosaures ne sont connus que par peu de restes qui restent difficiles à classer.

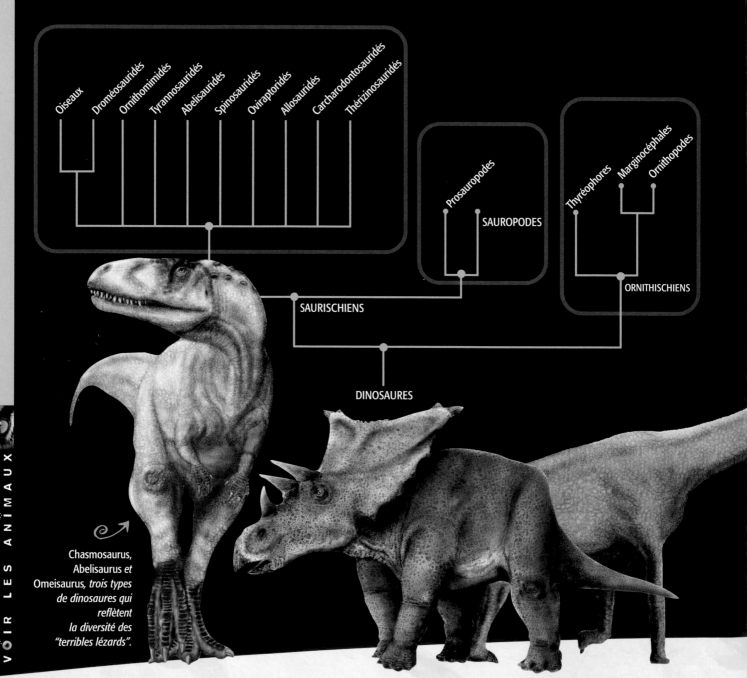

Oiseaux — Droméosauridés — Ornithomimidés — Tyrannosauridés — Abelisauridés — Spinosauridés — Oviraptoridés — Allosauridés — Carcharodontosauridés — Thérizinosauridés

SAURISCHIENS

Prosauropodes — SAUROPODES

Thyréophores — Marginocéphales — Ornithopodes

ORNITHISCHIENS

DINOSAURES

Chasmosaurus, Abelisaurus *et* Omeisaurus*, trois types de dinosaures qui reflètent la diversité des "terribles lézards".*

En 1881, l'Américain O. C. Marsh invente le terme "theropoda", signifiant littéralement "pied de bête sauvage". Ce paléontologue a aussi baptisé de nombreux dinosaures, tels qu'Allosaurus, Apatosaurus, Diplodocus, Ornithomimus, Stégosaurus et Triceratops.

Les scientifiques pensent que les 700 espèces de dinosaures connus aujourd'hui ne représenteraient que 5 à 20 % des espèces ayant existé au Mésozoïque*. Il resterait donc encore à découvrir quelques milliers, voire quelques dizaines de milliers d'espèces...

Les dinosaures comptent aujourd'hui plus de 700 espèces. Ils sont divisés en deux principaux groupes, les saurischiens et les ornithischiens, qui se distinguent par la morphologie des os de leur bassin. Ceux-ci ont une importante fonction puisqu'ils servent de points d'attache des tendons et muscles des membres, de la queue et de la colonne vertébrale. Les **saurischiens** ou dinosaures à "bassin de reptile" comprennent les **théropodes** (pour la plupart carnivores) et les **sauropodes*** (herbivores à long cou, comme *Diplodocus*). Les **ornithischiens** ou dinosaures à "bassin d'oiseau" réunissent les **ornithopodes** (comme les iguanodons), les **thyréophores** (stégosaures et ankylosaures, par exemple) et les **marginocéphales** (pachycéphalosaures et cératopsiens, entre autres).

Ilion

Pubis

Ischion

Trois os constituent le bassin des dinosaures : le pubis, l'ischion et l'ilion. Chez les saurischiens, le pubis est orienté vers l'avant, l'ischion vers l'arrière et l'ilion est situé au sommet du bassin et relié à la colonne vertébrale.

Le groupe des théropodes

Les théropodes regroupent tous les dinosaures bipèdes carnivores, ainsi que certaines espèces, elles aussi bipèdes mais dépourvues de dents et probablement herbivores. Parmi ces animaux, se trouvent les plus gros prédateurs terrestres que la Terre ait connus, comme les spinosaures ou les tyrannosaures, ainsi que les plus petits : certains droméosaures ont la taille d'un pigeon. Ce dernier groupe de dinosaures intéresse particulièrement les paléontologues puisqu'il serait à l'origine de celui des oiseaux.

Chez les ornithischiens, le pubis est aplati dans la continuation de l'ischion et se prolonge vers l'arrière, parallèle à l'ilion.

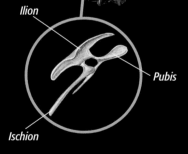

Ilion

Pubis

Ischion

C'est en Amérique du Nord et en Asie qu'a été trouvé le plus grand nombre d'espèces de dinosaures : environ 180 sur chaque continent. En Europe, on en connaît moins d'une centaine, et en Amérique du Sud et en Afrique, les paléontologues n'en recensent qu'une cinquantaine.

L'Antarctique est un continent largement inexploré. Une espèce y a été pourtant découverte dans des roches épargnées par les glaces quelques semaines par an. Tout laisse supposer qu'il existait dans cette région de nombreuses espèces de dinosaures encore inconnues.

Les premières découvertes

Lorsque les premiers fossiles de dinosaures furent découverts il y a quelques milliers d'années, personne ne pouvait concevoir un seul instant que c'étaient les os de gigantesques reptiles. Les hommes pensèrent, des siècles durant, que ces restes appartenaient à des créatures extraordinaires, jusqu'au jour où la fiction devint réalité...

L'équipe de chasseurs de dinosaures de O. C. Marsh est prête à affronter les dangers de l'Amérique sauvage, lors d'une expédition de 1872.

DRAGONS, GRIFFONS ET AUTRES CRÉATURES MYTHIQUES

Aux IIIe et IVe siècles, on découvre dans la province chinoise du Sichuan (région aujourd'hui mondialement connue pour sa richesse en gisements à dinosaures) des os très particuliers qu'on attribua alors à des dragons ! Dans le désert de Gobi, en Mongolie, les restes fossiles de Protoceratops, un petit dinosaure de la famille du Triceratops, furent sans doute à l'origine de la légende du griffon, créature mi-lion mi-oiseau. L'exhumation de crânes d'éléphant dans des grottes situées sur des îles de Méditerranée a donné naissance au fabuleux mythe des cyclopes, ces géants à l'œil unique : les hommes pensaient que l'énorme trou des narines au centre du crâne était l'orbite d'un œil gigantesque !

Iguanodon *(en haut) et* Megalosaurus *marchent ici à quatre pattes. Les scientifiques de l'époque ne se doutaient pas qu'ils pouvaient être bipèdes, car peu de restes fossiles étaient alors connus.*

Les découvreurs

Dans les années 1820-1830, Gideon Mantell, un médecin anglais, et William Buckland, un professeur à l'université d'Oxford, identifient des reptiles terrestres de très grande taille, mais sans pouvoir les rattacher à un groupe. Ils les baptisent *Megalosaurus*, *Iguanodon* et *Hylaeosaurus*. En 1842, l'anatomiste Richard Owen propose de regrouper ces trois reptiles en un ensemble particulier, les "dinosaures". Les terribles lézards sont nés, et les découvertes vont se succéder à un rythme effréné aussi bien en Europe qu'en Amérique du Nord.

Megalosaurus, le "gros reptile", a été baptisé ainsi à cause de sa grande taille par rapport aux reptiles connus. Iguanodon signifie "dent d'iguane" car ses dents sont similaires à celles des iguanes actuels. Hylaeosaurus, le "lézard des bois" a été trouvé dans la forêt de Tilgate en Angleterre.

En décembre 1853, un grand banquet est organisé par Richard Owen et le sculpteur Waterhouse Hawkins à l'intérieur d'un... ventre d'Iguanodon ! Cette maquette fut ensuite exposée dans un parc près de Londres et connut un grand succès auprès du public.

VOIR LES ANIMAUX

Dans les années 1890, les squelettes exposés à l'institut des Sciences de Bruxelles montraient les iguanodons comme des dinosaures bipèdes*. Des dizaines d'années plus tard, on se rendit compte de l'erreur et les iguanodons furent remontés comme des animaux quadrupèdes.

La ruée vers l'os

Vers la moitié du XIXe siècle, les premiers dinosaures sont trouvés aux États-Unis. Tout d'abord dans l'État du Montana, on découvre quelques dents isolées, ressemblant à celles d'*Iguanodon* et de *Megalosaurus*. Les dinosaures, décrits à partir de ces dents, sont baptisés *Trachodon* et *Deinodon*. À partir de 1877, la connaissance des dinosaures fait un bond en avant avec les travaux des scientifiques américains Othniel C. Marsh et Edward D. Cope. Ces frères-ennemis organisent de nombreuses campagnes de fouilles dans le Colorado, le Wyoming ou le Montana et mettent au jour pas moins de cent trente nouvelles espèces de dinosaures, dont les fameux *Allosaurus*, *Diplodocus* ou encore *Stegosaurus*. Ces investigations ne sont pas sans danger, et les membres des équipes, généralement d'anciens chercheurs d'or, sont bien armés pour se défendre contre les attaques d'Indiens.

Les Iguanodons de Belgique

En 1878, dans une mine de charbon près du village de Bernissart, une quarantaine de squelettes complets (ou presque) d'iguanodons sont trouvés à plus de 300 m de profondeur. Une fouille est alors entreprise pour extraire ce troupeau sorti tout droit du fond des âges ! Cette découverte extraordinaire permet aux scientifiques d'avoir une idée précise de l'anatomie de l'animal et d'en proposer une reconstitution fidèle. Aujourd'hui, trente de ces iguanodons sont exposés à l'institut royal des Sciences naturelles de Bruxelles.

Des dinosaures partout !

À la fin du XIXe et au début du XXe siècle, les scientifiques organisent d'impressionnantes expéditions aux quatre coins du monde pour découvrir d'autres dinosaures. Au Canada, ils prospectent à bord d'une barge les couches géologiques qui bordent les rivières de l'Alberta et trouvent notamment un cousin du tyrannosaure, *Albertosaurus*. En Afrique, et plus particulièrement en Tanzanie, des dinosaures comme *Brachiosaurus* ou encore *Kentrosaurus* sont découverts par des paléontologues allemands. Entre 1920 et 1950, des équipes américaines, puis russes mettent au jour en Mongolie de nombreux autres dinosaures tels *Velociraptor*, *Tarbosaurus* et *Protoceratops*. En Chine, des équipes internationales ont, à leur tour, extrait des dizaines de nouvelles espèces. Et plus tard, c'est en Amérique du Sud, en Australie et en Antarctique que des restes de dinosaures sont récoltés. Les paléontologues se rendent alors compte que les dinosaures ont vécu sur tous les continents.

Découverte d'un nid garni d'œufs de dinosaures en Mongolie.

Au XIXe siècle, dans le département de l'Ariège, l'abbé Jean-Jacques Pouech découvre de nombreux ossements de reptiles, y compris des dinosaures. Mais on ne savait plus depuis où ils étaient entreposés... Ce n'est que très récemment qu'ils ont été retrouvés dans un collège de Pamiers (Ariège) !

Au XIXe siècle, le géologue Philippe Matheron a trouvé, en Provence, de nombreux fossiles de crocodiles, tortues et dinosaures. Il décrivit notamment un dinosaure apparenté au fameux Iguanodon qu'il a baptisé Rhabdodon, prouvant ainsi que ces reptiles avaient vécu au Crétacé supérieur en France.

Dans la série télévisée Sur la Terre des dinosaures, Iguanodon *est bien reconstitué. Il est quadrupède.*

Reconstitutions au fil des découvertes

Reconstituer un squelette de dinosaure à partir des os désarticulés, c'est un peu comme tenter de résoudre un puzzle sans repère aucun et, surtout, sans connaître l'image finale. Avec le temps, plus les découvertes de dinosaures se sont multipliées et plus leurs représentations ont évolué. Quel est le point commun en effet entre un Iguanodon dessiné au XIXᵉ siècle et celui mis en scène dans un film du XXIᵉ siècle ?

Illustration extraite d'un ouvrage allemand de 1886 où figurent des dinosaures du Jurassique et du Crétacé.

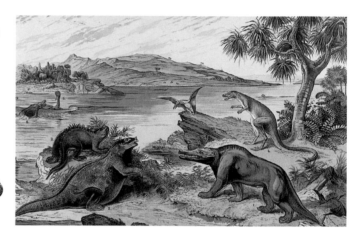

Des lézards géants

Lorsque les premiers restes de dinosaures furent trouvés, au début du XIXᵉ siècle, les scientifiques pensèrent qu'ils appartenaient à des reptiles de taille gigantesque. Avec très peu de fossiles mais une imagination débordante, ils les représentèrent comme des gros lézards : recouverts d'écailles, le ventre et la queue traînant sur le sol et passant le plus clair de leur temps à se prélasser au soleil. Leur appartenance aux reptiles suggérait également qu'ils possédaient un tout petit cerveau et n'étaient, de ce fait, pas très intelligents.

Entre gros chiens et rhinocéros

À mesure de que nouveaux restes de dinosaures étaient exhumés, les scientifiques ont modifié leurs reconstitutions. À la suite des travaux de Richard Owen au milieu du XIXᵉ siècle, les dinosaures n'étaient plus imaginés comme des gros lézards, mais comme des créatures plus massives, dressées sur leurs pattes, et à l'allure beaucoup plus agressive. Au moment où ces reconstitutions étaient réalisées, aucun squelette entier de dinosaure n'avait encore été découvert.

L'Iguanodon, dessiné par le célèbre médecin anglais Gideon Mantell (1790-1852), est représenté ici dressé sur ses deux pattes arrière, la queue traînant sur le sol.

Un os pointu très curieux appartenant au squelette d'Iguanodon *avait été interprété comme étant une corne. Les scientifiques la placèrent logiquement au bout du nez du gros lézard. Ce n'est qu'à partir de 1878 que les scientifiques se sont rendu compte que cette corne était en fait le pouce du dinosaure !*

Lorsque les scientifiques pensaient encore que les sauropodes étaient des animaux aquatiques, ils ont vu dans la position au-dessus des yeux des narines de Brachiosaurus *que celui-ci pouvait se déplacer dans les lacs profonds en gardant seulement le haut de la tête émergée.*

VOIR LES ANIMAUX

⬛ Bipèdes* ou aquatiques

Les riches gisements d'Amérique du Nord ont livré aux paléontologues Marsh et Cope les premiers squelettes complets de dinosaures dès la fin du XIXᵉ siècle. Grâce à l'étude de ces squelettes et aux connaissances de l'époque, le public pouvait pour la première fois admirer des dessins de *Tyrannosaurus*, *Diplodocus* ou encore de *Stégosaurus*, mais avec des postures pour le moins originales. En effet, les gros sauropodes* tel *Diplodocus*, étaient pour les scientifiques trop lourds pour vivre sur la terre ferme et devaient passer l'essentiel de leur vie dans des lacs et marais pour supporter leur propre poids. Quant aux théropodes et aux ornithopodes comme l'*Iguanodon* ou les hadrosaures, les artistes les représentèrent dressés sur leurs pattes arrière, à la manière des kangourous, avec leur lourde queue traînant au sol.

Avec les connaissances anatomiques modernes, on peut reconstituer fidèlement l'apparence d'un dinosaure (ici Baryonyx), d'abord en représentant ses muscles, puis en le recouvrant de peau.

⬛ Les dinosaures aujourd'hui

Au XXIᵉ siècle, l'image des dinosaures a encore évolué. Les nombreuses découvertes réalisées ces dernières décennies, dont celle des empreintes de pas de dinosaures, ont non seulement montré que leur queue ne traînait pas, mais encore qu'ils étaient moins dressés que les kangourous. Les sauropodes ne vivaient finalement pas dans l'eau et pouvaient même se déplacer sur de longues distances. Quant à certains théropodes, ils étaient non seulement des chasseurs très actifs capables de se déplacer rapidement et avec beaucoup d'agilité, mais ils adoptaient également des stratégies de chasse en meute. Ils sont donc considérés aujourd'hui plutôt comme actifs et intelligents, exactement l'inverse de ce que pensaient les premiers paléontologues !

Une équipe de scientifiques pensait avoir trouvé des empreintes de dinosaures qui se déplaçaient en sautant à la manière des kangourous. Des études récentes ont montré qu'il s'agissait en réalité de traces laissées par une tortue aquatique dont les pattes touchaient le fond à chaque mouvement.

L'orientation du cou des sauropodes est sujet à polémiques : pour certains, ils avaient le cou dressé afin de brouter les hauts feuillages ; pour d'autres, ils avaient le cou à l'horizontal et se nourrissaient de végétation basse. Il est fort possible que les deux types de sauropodes aient existé...

De l'os à la roche

L'ensemble des processus qui transforment un organisme mort en fossile s'appelle la fossilisation. C'est un phénomène exceptionnel puisque la plupart des cadavres se décomposent et disparaissent bien avant qu'ils puissent être pétrifiés. Le passage du cadavre au fossile peut durer plusieurs millions d'années... !

⬭ Les cas les plus rares

Si tous les tissus biologiques constituant les êtres vivants ne se fossilisent pas aussi bien que les squelettes ou les coquilles (tous deux étant très minéralisés et donc très résistants), il arrive, dans des cas particuliers, que d'autres types de tissus soient conservés ou imprimés dans la roche. Les paléontologues ont ainsi découvert des animaux fossilisés avec le contenu de leur estomac, c'est-à-dire le dernier repas qu'ils ont pris avant de mourir, ou encore des impressions de peaux, de poils, de plumes ou même d'organes. Parfois des dinosaures ont été brutalement ensevelis alors qu'ils se nourrissaient, dormaient ou accouchaient ! Ces fossiles d'exception sont extrêmement précieux car ils fournissent des informations inespérées sur la biologie, le mode de vie et l'anatomie des espèces disparues.

En 1968, les restes d'un squelette exceptionnel de plésiosaure ont été découverts dans une mine en Australie. Le fossile est en opale, une pierre précieuse utilisée pour fabriquer des bijoux. Ce reptile marin est le plus cher fossile du monde !

Scipionix est un petit théropode du milieu du Crétacé (100 millions d'années) trouvé en Italie dans des couches de roches très fines qui ont moulé certains de ses organes. Les paléontologues ont pu observer ses voies respiratoires, certains de ses muscles, mais aussi ses intestins et son foie !

ÉTAPE ❶ : MORT ET DÉCOMPOSITION

Après la mort d'un dinosaure, sa carcasse, qui repose sur la terre ferme, a de forts risques d'être dépecée par des charognards qui ne laisseront que le squelette. La pluie, l'air et les changements de température altèrent les os, et dans des environnements très acides comme les forêts, ceux-ci vont se décomposer et disparaître totalement. Dans la nature actuelle, la plupart des animaux qui meurent ne laissent aucune trace de leur corps. Des scientifiques ont estimé que sur environ mille vertébrés* qui succombent, moins de cinquante subsistent sous forme de quelques restes osseux au bout d'un an de décomposition et finissent par disparaître complètement au bout de dix à quinze ans.

ÉTAPE ❷ : ENFOUISSEMENT

Dans le cas le plus favorable où le dinosaure meurt en bordure d'un lac ou d'une rivière, il est rapidement enseveli par des sédiments déposés lors de crues successives. Ces sédiments isolent la carcasse du milieu extérieur et la protègent de la décomposition. Il arrive aussi qu'une crue emporte le dinosaure dans le cours d'une rivière ou d'un fleuve jusqu'à la mer, au fond de laquelle il finira par se déposer et pourra être également recouvert de sédiments. Parfois, une carcasse gisant sur la terre ferme est ensevelie sous des dunes ou des cendres volcaniques, la protégeant ainsi de la décomposition complète.

ÉTAPE ❸ : TRANSFORMATION

Au fil des années, les restes du dinosaure sont enfouis sous plusieurs mètres de sédiments déposés durant les crues successives. Les changements de conditions physiques (pression, température) et chimiques (acidité du milieu ou éléments présents autour de la carcasse) vont entraîner la transformation progressive de l'os en roche. Les vides dans l'os seront comblés par des minéraux et parfois l'os lui-même sera complètement cristallisé. L'ensemble de ces différents processus de transformation est appelé la diagenèse, au cours de laquelle le sédiment devient roche et l'os se fossilise.

ÉTAPE ❹ : RÉAPPARITION

Le dinosaure est ainsi devenu en quelques millions d'années un fossile, mais il est toujours enfoui sous plusieurs mètres, voire plusieurs centaines de mètres de roche. Sous l'effet de l'érosion* et des mouvements de la croûte terrestre, le dinosaure fossilisé va progressivement "remonter" à la surface. Il ne restera plus aux paléontologues qu'à le trouver… assez rapidement car s'il reste trop longtemps exposé à l'érosion, il sera lui-même détruit et disparaîtra définitivement.

COULEURS DES OS

Les os fossilisés sont de différentes couleurs, le plus fréquemment blancs, rouges ou noirs. La couleur naturelle de l'os est le blanc. L'os fossilisé de couleur rouge (ici une plaque dermique* de crocodile) indique que, lors de la diagenèse, il s'est chargé en fer alors que l'os noir (ici une carapace de tortue) est très riche en manganèse (métal gris et dur). La couleur est donc liée aux éléments chimiques présents dans le sédiment qui ont été incorporés par l'os pendant la fossilisation.

Aujourd'hui, les scanners permettent aux paléontologues de regarder à l'intérieur des fossiles sans les abîmer pour étudier certaines structures internes jusqu'alors inaccessibles. Il est par exemple possible d'observer les embryons présents dans des œufs fossilisés de dinosaures.

L'ADN, cette molécule qui contient toutes les informations génétiques d'un être vivant, a une durée de vie maximale de quelques dizaines de milliers d'années. Il est donc très peu probable qu'un jour on trouve et utilise de l'ADN de dinosaure pour en faire "renaître" aujourd'hui…

Anatomie des théropodes

Les théropodes étaient de véritables machines à tuer aux extrémités mortelles. Tout dans leur anatomie nous indique que ces prédateurs se sont spécialisés dans leur mode d'attaque en fonction des proies convoitées et de leur terrain de chasse.

Lorsque le théropode court, il a le corps à l'horizontale, la tête en avant. Pour s'équilibrer, **la queue** se dresse aussi à l'horizontale, en arrière. Le centre de gravité, ou point d'équilibre, se situe ainsi au niveau du bassin, et permet à l'animal de garder l'équilibre même s'il baisse la tête pour tenter de mordre les mollets de sa proie.

Avec leurs **longues jambes** taillées pour la course, les théropodes sont de véritables champions ! Leurs membres sont de surcroît redressés et se trouvent dans l'axe du corps, à l'instar des mammifères actuels. Une telle orientation, fort différente de celle des reptiles, permet de soutenir le corps au-dessus du sol sans que l'animal ne se fatigue. Les dinosaures peuvent ainsi courir très vite en effectuant des mouvements amples.

LES ORNEMENTS CRÂNIENS

Certains théropodes, les cératosaures, possédaient sur leur crâne des structures originales telles des cornes chez Carnotaurus (voir p. 58) ou des crêtes chez Dilophosaurus (voir p. 31). Ces structures n'avaient peut-être qu'une fonction ornementale. Les cornes, en revanche, devaient être utilisées lors de combats entre mâles.

Afin d'évaluer les distances lors des poursuites, les prédateurs actuels voient en relief grâce à leurs yeux situés sur le devant de la tête ; les herbivores ont les leurs sur les côtés pour surveiller toutes les directions. Les théropodes avaient aussi les orbites orientées vers l'avant.

Les yeux démesurément grands pour sa taille font penser que le petit théropode Troodon, que l'on trouve en Amérique du Nord et en Asie, devait être un chasseur nocturne, probablement actif dès la tombée de la nuit.

Grâce à la présence de nombreuses "fenêtres", ou ouvertures, qui contiennent des muscles ou des organes sensoriels*, **le crâne** des théropodes est très léger. Chez les dinosaures uniquement, il existe une autre fenêtre située en avant des orbites. De face, un crâne de théropode semble extrêmement fin, comme aplati des deux côtés.

La forme particulière **des dents**, pointues et aplaties, permet aux théropodes de déchiqueter efficacement la chair. De plus, les bordures des dents sont fines et couvertes de denticules* qui améliorent la découpe à la manière des couteaux à steak. Les dents situées en avant de la mâchoire sont plus massives et moins aplaties que les autres car elles servent à saisir des proies qui peuvent se débattre vigoureusement. Elles doivent donc être très résistantes.

Les théropodes et les autres reptiles ont en commun **une mandibule** (mâchoire inférieure) composée de plusieurs os. Ils produisent des dents leur vie durant comme tous les dinosaures, les crocodiles ou les requins. Ces dents ne "fonctionnent" que quelques mois, car elles s'usent rapidement, ou sont arrachées lors de la chasse.

Leurs membres antérieurs sont beaucoup plus courts que leurs membres postérieurs. Les théropodes sont donc exclusivement bipèdes. D'après la forme des os, ils utilisent leurs membres antérieurs pour saisir leurs proies. Un cas à part cependant : les tyrannosauridés ont des membres trop courts pour être réellement efficaces (voir p. 42-43).

Les griffes ne sont en réalité que le revêtement corné qui recouvre les dernières phalanges des doigts. C'est la morphologie de celles-ci qui nous donne une idée de la forme des griffes, car elles ne sont pas conservées lors de la fossilisation. Les théropodes possèdent deux types de griffes : des fines et tranchantes qui leur servent à découper la chair, et des plus massives qui leur permettent de maintenir leurs proies à terre tout en leur infligeant de graves blessures.

Attention, tous les théropodes sont bipèdes, mais la bipédie n'est pas une caractéristique du seul groupe des théropodes. Il existe en effet des dinosaures herbivores bipèdes appartenant à d'autres groupes comme les psittacosaures et certains cératopsiens.

Les grands théropodes couraient-ils vite ? Selon certains paléontologues, une chute lors d'une course pouvait les blesser gravement à cause de leur masse importante. Pour d'autres, la vitesse était l'un de leurs atouts majeurs pour chasser les dinosaures herbivores qui pouvaient se déplacer rapidement.

À chacun son menu

Afin d'éviter d'être en compétition pour les mêmes ressources alimentaires, la plupart des animaux se spécialisent dans la consommation d'un type de nourriture. Il en était de même pour les théropodes dont la morphologie s'est progressivement adaptée à leur type de proie et à la manière de les dévorer.

● Les "découpeurs de chair"

Certains théropodes, tels l'allosaure ou les droméosauridés, n'avaient pas beaucoup de force dans la mâchoire par rapport à d'autres prédateurs. Ils possédaient, en revanche, des dents fines et tranchantes en forme de couteaux à steak et aux bordures couvertes de denticules*. Ces dents leur servaient à découper dans le corps de leurs victimes des lambeaux de chair qu'ils avalaient goulûment en s'aidant de mouvements de la tête et du cou. En outre, la grande élasticité des joints qui relient les os de son crâne permet à l'allosaure d'agrandir l'ouverture de sa gueule pour avaler de très gros morceaux de viande.

Après l'avoir mis à mort, des Velociraptor dévorent un Protoceratops.

Les mâchoires des grands alligators peuvent exercer une force de près de 1,5 tonnes, la plus puissante que l'on connaisse chez les prédateurs actuels. C'était sans doute avec des dents et des mâchoires aussi implacables que T. rex dévorait ses proies.

On découvre souvent des dents de théropodes associées à des squelettes de dinosaures herbivores. Il s'agit de dents perdues par les prédateurs alors qu'ils attaquaient ou dévoraient leur proie. Il ne faut pas oublier que les théropodes fabriquaient des dents tout au long de leur vie...

Les théropodes "à bec"

Quelques groupes de théropodes (oviraptorosaures ou ornithomimidés) n'ont pas de dents, mais un bec corné à la place. Les bordures de ces becs devaient être fines et tranchantes comme celles des rapaces actuels. Ils pouvaient ainsi s'attaquer à de petites proies : insectes, reptiles, mammifères ou bébés dinosaures. Certains de ces dinosaures à bec ont pu être herbivores. Des galets, appelés gastrolithes, ont en effet été découverts dans leur corps et devaient avoir la même utilité que ceux présents dans le gésier* de certains oiseaux herbivores, telles les poules ou les oies.

Le petit oviraptorosaure s'apprête à dévorer un Protoceratops à l'aide de son bec tranchant.

Les "casseurs d'os"

D'autres théropodes, comme le tyrannosaure, possédaient à l'inverse de l'allosaure de longues dents (*voir p. 44-45*) très épaisses, ainsi que des mâchoires puissantes actionnées par des muscles bien développés. Avec un tel dispositif, le tyrannosaure croquait dans la carcasse de sa victime et arrachait à la fois de la chair et des fragments d'os qu'il broyait entre ses mâchoires. Il avalait ensuite le tout et les os n'étaient qu'en partie digérés, c'est pourquoi les paléontologues en ont retrouvés dans des crottes fossilisées. Les dents du tyrannosaure étaient toutefois trop longues pour pouvoir briser les gros os des membres. Ils ne croquaient que dans le ventre.

DENTS

Il est possible de distinguer les dents situées en avant des mâchoires de celles situées en arrière. Les dents en avant sont en effet plus massives et moins aplaties que les autres dents car leur fonction est de saisir la proie ; elles doivent donc être plus résistantes que les dents latérales dont la seule fonction est la découpe.

Le tyrannosaure vient d'arracher une patte de Triceratops. Après l'avoir orientée pour qu'elle rentre dans son énorme gueule, il l'avale goulûment d'un coup tête en avant.

Les paléontologues trouvent parfois dans des squelettes de théropodes des dents isolées de la même espèce montrant des traces de dissolution par des sucs digestifs*. Il s'agit souvent de leurs propres dents qu'ils ont avalées accidentellement pendant qu'ils se nourrissaient.

On peut déterminer le type d'alimentation des dinosaures en étudiant leurs "crottes fossilisées" ou coprolithes. De nombreux coprolithes de dinosaures contenant des restes non digérés ont été trouvés, mais il est souvent difficile de savoir quelle espèce les a produites.

Le petit carnivore Sinosauropteryx possédait de nombreux filaments qui recouvraient son corps.

Théropodes à sang chaud !

Un important dilemme divise depuis longtemps les paléontologues : les dinosaures étaient-ils à sang froid à l'instar de leurs cousins reptiles, ou à sang chaud comme les mammifères, ou les oiseaux, leurs descendants directs ? Différents arguments tendent à montrer que les théropodes avaient le sang chaud...

● Première preuve : les poils et les plumes

Les animaux à sang chaud doivent garder leur corps à une température élevée et constante. Pour y parvenir, ils possèdent des poils ou des plumes qui isolent leur corps du froid. Bien que ces tissus extrêmement fragiles se conservent très mal lors de la fossilisation, quelques théropodes ont été trouvés avec autour de leur squelette des filaments plumeux et, même pour certains, de vraies plumes. Comme la plupart de ces prédateurs ne pouvaient pas voler, les paléontologues supposent que ces plumes devaient leur servir à garder leur corps à une certaine température. Ils étaient donc certainement endothermes *(voir encadré)*. Attention toutefois : cela ne signifie pas que les dinosaures dépourvus de plumes n'étaient pas à sang chaud, mais d'autres preuves sont attendues...

Le redoutable Troodon était bien adapté au climat froid.

● Deuxième preuve : l'adaptation au froid

Dans des gisements situés au Mésozoïque* près des pôles Nord et Sud, de nombreux dinosaures, mammifères, oiseaux et ptérosaures ont été découverts. Ces trois derniers groupes d'animaux étaient ou devaient être à sang chaud. Aucun crocodile, tortue, ni lézard ou serpent n'ont été trouvés dans ces gisements. Le climat était-il trop rigoureux pour ces reptiles à sang froid ? La présence de dinosaures dans ces régions polaires tendrait à prouver qu'ils devaient être à sang chaud.

Il y a quelques années, des paléontologues pensaient avoir découvert un cœur pétrifié de dinosaure qui ressemblait à un cœur d'endotherme. Selon d'autres scientifiques, ce cœur ne serait en fait qu'un caillou naturel dont la forme étonnante a pu tromper les chercheurs.

La girafe, avec son immense cou, a besoin d'un cœur particulièrement puissant et de suffisamment d'énergie pour que le sang atteigne sa tête. Selon certains paléontologues, les sauropodes avaient obligatoirement les mêmes besoins en énergie, et devaient donc être endothermes.*

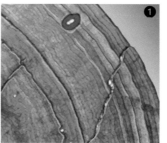

Proportionnellement, les animaux à sang chaud (lions et théropodes ici) ont besoin de plus manger que les reptiles (animaux à sang froid).

Troisième preuve : l'appétit

Aujourd'hui, un mammifère carnivore a besoin de manger dix fois plus de nourriture qu'un reptile carnivore de même taille. Il faut donc qu'il y ait assez de proies pour que les prédateurs ne meurent pas de faim. Par exemple, il y a dans la nature entre un et trois prédateurs à sang chaud pour cent proies et environ trente prédateurs à sang froid pour cent proies. Des paléontologues ont calculé qu'il y avait dans certains gisements fossiles trois à cinq théropodes pour une centaine de dinosaures herbivores. Ils en ont conclu que les théropodes avaient des besoins alimentaires similaires aux mammifères actuels, et donc qu'ils devaient être à sang chaud.

Quatrième preuve : les os

Les reptiles ectothermes grandissent lentement tout au long de leur vie, alors que les mammifères et les oiseaux, qui sont endothermes, ont une croissance rapide pendant les premières années puis gardent la même taille jusqu'à leur mort. Cette différence de croissance est liée à leur métabolisme* et se traduit par une structure osseuse différente. Des paléontologues ont eu l'idée de regarder de plus près les os des dinosaures et ont observé les deux types de structures. Ces découvertes ne permettent pas de trancher entre sang chaud et sang froid, mais suggèrent qu'ils avaient peut-être un métabolisme entre ectotherme et endotherme, ou encore qu'il était différent de celui des vertébrés* actuels.

ENDOTHERMES OU ECTOTHERMES ?

Il est possible de distinguer les animaux en fonction de leur chaleur corporelle. Ceux qui produisent leur propre chaleur et la maintiennent constante sont appelés endothermes ou animaux à sang chaud. Les espèces qui ne peuvent pas produire leur propre chaleur et qui ont une température corporelle proche de celle de leur environnement sont dit ectothermes ou animaux à sang froid. Aujourd'hui, la plupart des animaux sont ectothermes comme les poissons, les reptiles et les amphibiens. Seulement deux groupes sont endothermes : les mammifères (et donc les hommes) et les oiseaux.

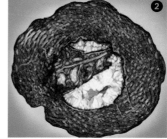

L'os de reptile ❶ (animal ectotherme) montre les lignes de croissance. L'os ❷ est remodelé et typique des endothermes.

Les grandes plaques osseuses qui recouvraient le dos des stégosauridés étaient peut-être des régulateurs thermiques qui captaient les rayons du soleil pour réchauffer leur corps... ou bien elles permettaient de refroidir les dinosaures lorsqu'ils se mettaient sous le vent.

Certains dinosaures d'Afrique, le théropode Spinosaurus et l'ornithopode Ouranosaurus, possédaient un grand voile de peau le long du dos tendu par les extrémités de leurs vertèbres. Ce dispositif serait un régulateur de température comme pouvaient l'être les plaques des stégosauridés...

Tout commence par un œuf...

Étudier le mode de reproduction et de croissance d'animaux disparus comme les dinosaures n'est pas une mince affaire. De nombreux indices fossilisés permettent malgré tout aux paléontologues de reconstituer certains aspects de la vie de ces reptiles, de l'œuf à l'âge adulte.

⬤ Bien au chaud au fond du nid

Tout comme les reptiles et les oiseaux, les théropodes sont ovipares, c'est-à-dire qu'ils pondent des œufs. De véritables "nids" ont été trouvés dans les couches géologiques de plusieurs continents, et le petit théropode *Oviraptor* a même été fossilisé pendant qu'il couvait ses œufs ! Les scientifiques pensent toutefois que tous les théropodes ne couvaient pas. Certains en effet devaient recouvrir leurs œufs de végétation qui produisait de la chaleur en fermentant et restaient autour du nid pour le garder. Dans ce monde cruel et dangereux, il n'était pas rare que les dinosaures soient dévorés dans l'œuf ou à la naissance. Les prédateurs pondaient donc des dizaines d'œufs afin que quelques-uns aient la chance d'atteindre l'âge adulte.

 *Œuf de sauropode*.*

ÉTAPE 3 :
À 10 ans, l'enfant mesure 1,40 m pour un poids moyen de 30 kg alors que le tyrannosaure mesure déjà 6 m et pèse environ 500 kg. Contrairement à l'enfant, le tyrannosaure est indépendant depuis quelques années et il est déjà un redoutable prédateur craint par la plupart des autres espèces.

 DVD

Embryon de Therizinosaurus *dans son œuf. On peut déjà voir les griffes démesurées de ce théropode !*

ÉTAPE 1 :
Pendant 9 mois, le fœtus humain va se développer dans le ventre de la mère ; l'œuf du tyrannosaure, de forme très allongée, mesure environ 48 cm de long et 12 cm de large. Il est enseveli sous un monticule d'herbes confectionné par ses parents afin de le garder à une température constante.

ÉTAPE 2 :
À la naissance, le bébé fait en moyenne 50 cm de long et pèse environ 3,5 kg ; le tyrannosaure mesure 45 cm pour un poids d'environ 2 kg. Tous deux ne sont pas capables de subvenir à leurs besoins et sont donc sous la constante attention de leurs parents.

 *Les plus petits œufs de théropodes ont été découverts en Thaïlande. Ils font 1,8 cm de long, ce qui correspond à la taille des œufs de mésange. Des restes de l'embryon ont même été trouvés dans certains de ces œufs.*

Certains dinosaures vivaient en famille. Des empreintes de pas ont montré, par exemple, que les jeunes sauropodes se déplaçaient sous la protection des adultes. Dans certains gisements, ce sont des groupes entiers de dinosaures de tous âges qui ont été trouvés fossilisés ensemble.

Des parents attentifs

Alors que certains petits dinosaures étaient abandonnés par leur mère dès la naissance et devaient se débrouiller seuls pour survivre, d'autres étaient nourris et protégés par leurs parents pendant une partie de leur jeunesse, de quelques mois à quelques années. La découverte de fossiles de petits reptiles entourant celui d'un adulte atteste ce type de comportement. Quelques dinosaures, comme les hadrosaures *Maiasaura*, avaient des zones de pontes communes dans lesquelles ils élevaient et surtout protégeaient leurs petits jusqu'à ce qu'ils puissent se débrouiller seuls. Les théropodes, serpents, crocodiles, mammifères, adultes de leur propre espèce et parfois même leurs propres parents constituaient une menace bien réelle pour ces jeunes dinosaures...

ÉTAPE 4 :
20 ans : l'adulte mesure 1,75 m et pèse 70 kg, le tyrannosaure 10,50 m et 4 tonnes. Sa taille imposante en fait le plus terrible des prédateurs.

ÉTAPE 5 :
30 ans : l'adulte ne grandit plus alors que le tyrannosaure a atteint sa taille maximale qu'il gardera jusqu'à la mort : 12 m de long pour une masse comprise entre 5 et 6 tonnes !

Comment de grands dinosaures comme les sauropodes pondaient-ils des œufs sans qu'ils se cassent en tombant ? Pour quelques paléontologues, les femelles dinosaures possédaient une sorte de long tube de chair orienté vers le bas qui permettait aux œufs d'atterrir sur le sol sans se briser.

Dans le sud de la France, de très nombreux sites de ponte ne contenant que des restes de coquilles d'œufs ont été découverts. L'absence de restes osseux de dinosaures adultes semble indiquer qu'ils ne vivaient pas sur leurs sites de ponte et qu'ils ne les occupaient que temporairement.

Du plus petit au plus grand

Si le tyrannosaure est de loin le plus populaire des théropodes géants, il n'est pas le plus grand et ne représente nullement la taille moyenne des dinosaures carnivores. Pour certains animaux du Mésozoïque*, la menace pouvait aussi bien avoir la taille d'une maison que celle d'un pigeon !

❶ *Microraptor zhaoianus*

Famille : *Dromeosauridae*
Étymologie : petit voleur de Zhao Xijin (nom d'un paléontologue chinois)
Âge : Crétacé inférieur, 120 millions d'années
Lieu : Chine
C'est le plus petit théropode connu à ce jour. Avec ses 48 cm de long, ce prédateur ne devait se nourrir que d'insectes et de minuscules reptiles. La morphologie de ses pattes indique que *Microraptor* les utilisait pour s'accrocher aux branches d'arbres comme les oiseaux (*voir p. 52-53*).

❷ *Compsognathus*

Famille : *Compsognathidae*
Étymologie : jolie mâchoire
Âge : Jurassique supérieur, 140 millions d'années
Lieu : Allemagne, France
Ce petit théropode mesurait seulement 70 cm de long avec une queue qui faisait la moitié de sa longueur. Ce chasseur d'insectes possédait une étonnante caractéristique : il n'avait que deux doigts à chaque membre antérieur.

❸ *Tyrannosaurus rex*

Famille : *Tyrannosauridae*
Étymologie : roi des reptiles tyrans
Âge : Crétacé supérieur, 68 à 65 millions d'années
Lieu : Amérique du Nord
Avec ses 12 m de long et ses 7 tonnes, le "roi des reptiles tyrans" ne détient plus le record du plus gros prédateur terrestre. Il reste toutefois le théropode géant le mieux connu grâce aux nombreux squelettes trouvés en Amérique du Nord.

❹ *Carcharodontosaurus saharicus*

Famille : *Carcharodontosauridae*
Étymologie : reptile du Sahara à dents de requin
Âge : milieu du Crétacé, 100 millions d'années
Lieu : Afrique du Nord
Ce terrible carnivore (*voir p. 38*) a une taille maximale estimée à 14 m de long, une taille nécessaire pour faire face à un autre géant qui sévissait sur les mêmes terrains, le *Spinosaurus ægyptiacus*.

❺ *Giganotosaurus carolinii*

Famille : *Carcharodontosauridae*
Étymologie : reptile géant du Sud de Carolini (découvreur du dinosaure)
Âge : Crétacé supérieur, 90 millions d'années
Lieu : Argentine
13 m de long pour 6 tonnes : *Giganotosaurus* était le plus gros prédateur d'Amérique du Sud (*voir p. 38*). Les scientifiques pensent qu'il a pu être un cousin du *Carcharodontosaurus* d'Afrique.

Quand les paléontologues tamisent les sédiments pour rechercher des tout petits restes d'animaux, ils trouvent parfois des dents de théropodes de moins de 1 mm de long. Ils ne savent toutefois pas si ces dents appartenaient à des théropodes minuscules ou juste à de jeunes reptiles...

Même si le tyrannosaure a perdu sa place de plus gros dinosaure carnivore, il est toujours très convoité par les musées. Il y a quelques années, le tyrannosaure appelé "Sue" a été acheté par le musée de Chicago pour 6,6 millions d'euros !

❻ Spinosaurus ægyptiacus

Famille : *Spinosauridae*
Étymologie : reptile à épines d'Égypte
Âge : milieu du Crétacé, 100 millions d'années
Lieu : Afrique du Nord
Ce théropode particulier mesurait plus de 15 m
de long. Il possédait un grand voile sur le dos
qui pouvait atteindre 1,60 m de hauteur. Cet animal
de taille démesurée était, d'après sa morphologie,
un mangeur de poissons *(voir aussi p. 46)*.

❼ Deinocheirus mirificus

Famille : *Ornithomimidae*
Étymologie : terrible main
Âge : Crétacé supérieur, 80 à 65 millions d'années
Lieu : Mongolie
Seuls les os des membres antérieurs de ce théropode ont été découverts.
À partir de ses bras d'une longueur record de 2,40 m, la taille de l'animal
a été estimée à près de 20 m de long ! Il semble que, d'après la morphologie
des bras, *Deinocheirus* ait appartenu à un groupe particulier de théropodes,
les ornithomimosaures.

Le crâne de Carcharodontosaurus saharicus *pouvait
mesurer à lui seul 1,60 m de long, alors qu'un crâne humain
ne fait que 20 cm. En revanche, ce gros théropode avait un tout petit
cerveau d'un volume d'environ 100 cm³, minuscule comparé
aux 1 500 cm³ du cerveau humain !*

Parmi les autres groupes de dinosaures, le plus grand
est le sauropode* Seismosaurus *d'Amérique du Nord
pouvant atteindre 50 m de long ! Le plus petit est le cératopsien
Microceratops, *trouvé en Mongolie, faisant environ 76 cm de long.*

Ce specimen de Coelophysis, a été découvert à Ghost Ranch aux États-Unis. Dans son ventre, apparaît un petit Coelophysis, ce qui suggérait que ce théropode était cannibale.

Les premiers théropodes

Les théropodes figurent parmi les plus anciens dinosaures ayant existé. Apparus il y a environ 235 millions d'années, les dinosaures étaient relativement rares au Trias, ne comptant que quelques théropodes, prosauropodes et ornithischiens.

Coelophysis

Famille : *Podokesauridae*
Étymologie : forme creuse
Âge : Trias supérieur, 225 à 215 millions d'années
Lieu : Amérique du Nord (Nouveau Mexique, Arizona).
Avec une taille de 3 m et d'énormes griffes,
ce redoutable théropode vivait probablement en meute.
Pour preuve, les nombreuses empreintes qui ont été découvertes
ainsi que les gisements ayant livré des dizaines de squelettes
d'adultes et de petits.

D'après certains chercheurs, il semblerait que le développement des dinosaures, au début du Mésozoïque*, ait été favorisé par une météorite ! Celle-ci serait entrée en collision avec la Terre à la fin du Trias et aurait fait disparaître de nombreuses espèces, laissant place nette pour les dinosaures.

À quoi pouvait ressembler l'ancêtre des dinosaures ? Il semble que le petit reptile Marasuchus du Trias moyen d'Amérique du Sud possède des caractéristiques intermédiaires entre les dinosaures et les autres reptiles. Un chaînon manquant en quelque sorte...

Procompsognathus

Famille : *Procompsognathidae*
Étymologie : ancêtre de "jolie mâchoire" (Compsognathus)
Âge : Trias supérieur, 220 à 215 millions d'années
Lieu : Allemagne
Ce petit théropode est relativement mal connu. D'une taille d'environ 1,20 m de long, il possédait un museau fin et de nombreuses dents pointues. Il se nourrissait d'insectes et de petits vertébrés qu'il attrapait grâce à son long cou et à ses grandes jambes qui lui permettaient de se déplacer très rapidement.

Herrerasaurus

Famille : *Herrerasauridae*
Étymologie : reptile de Herrera
(région en Argentine)
Âge : Trias supérieur, 231 à 225 millions d'années
Lieu : Argentine
Trois fois plus grand que son contemporain *Eoraptor*, *Herrerasaurus* comptait parmi les théropodes les plus impressionnants du Trias. Ses dents fines, tranchantes et à bordures denticulées* en faisaient un redoutable chasseur pouvant s'attaquer à la plupart des autres vertébrés existant à l'époque. Il devait être toutefois la proie de prédateurs plus imposants, comme le reptile *Saurosuchus*.

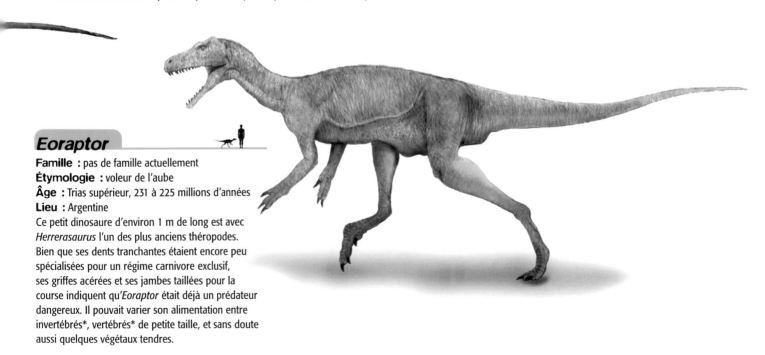

Eoraptor

Famille : pas de famille actuellement
Étymologie : voleur de l'aube
Âge : Trias supérieur, 231 à 225 millions d'années
Lieu : Argentine
Ce petit dinosaure d'environ 1 m de long est avec *Herrerasaurus* l'un des plus anciens théropodes. Bien que ses dents tranchantes étaient encore peu spécialisées pour un régime carnivore exclusif, ses griffes acérées et ses jambes taillées pour la course indiquent qu'*Eoraptor* était déjà un prédateur dangereux. Il pouvait varier son alimentation entre invertébrés*, vertébrés* de petite taille, et sans doute aussi quelques végétaux tendres.

Les plus anciens dinosaures connus à ce jour étaient bipèdes, de petite taille et ils proviennent tous de gisements d'Amérique du Sud, région qui fut probablement le "berceau" de tous les dinosaures. Ils ont ensuite évolué en différents groupes et se sont dispersés sur toute la Pangée.

Des restes de jeunes Coelophysis ont été trouvés à l'intérieur de la cage thoracique d'individus plus âgés de la même espèce. Cette découverte montre que, tout comme certains animaux actuels, ce théropode était cannibale et n'hésitait pas à dévorer les petits des autres Coelophysis.

Les terreurs du Jurassique

C'est au cours du Jurassique que plusieurs familles de théropodes ont donné naissance aux premières espèces de très grandes tailles. Ces extraordinaires prédateurs étaient armés pour chasser des proies de leur calibre : les gigantesques dinosaures herbivores.

Allosaurus

Famille : *Allosauridae*
Étymologie : reptile différent
Âge : Jurassique supérieur, 146 à 135 millions d'années
Lieu : Amérique du Nord
Exemples de proies : *Diplodocus, Camarasaurus, Stegosaurus*
Ce théropode, pouvant atteindre 12 m de long, avait un crâne très léger qui ne lui permettait pas de mordre avec autant de force que de nombreux autres prédateurs. Il possédait en revanche des dents fines et tranchantes, ainsi qu'un cou flexible, idéal pour attaquer ses proies à la manière des serpents, en s'aidant d'une rapide et violente flexion du cou.

Yangchuanosaurus

Famille : *Allosauridae*
Étymologie : reptile du Yuang-ch'uan
Âge : Jurassique supérieur, 150 à 137 millions d'années
Lieu : Chine
Exemples de proies : *Mamenchisaurus, Chungkingosaurus*
Ce gros prédateur, de 10 m de long environ, a été découvert en Chine, dans la province du Sichuan connue mondialement pour ses riches gisements à dinosaures. Son crâne massif était pourvu d'une bosse osseuse sur le museau, inexistante chez les autres allosauridés. Il avait un cou court et épais ainsi que des dents tranchantes à bordures crénelées.

Poekilopleuron

Famille : *Megalosauridae*
Étymologie : reptile à "côté variable"
Âge : Jurassique moyen, 167 à 160 millions d'années
Lieu : France, Normandie
Exemples de proies : inconnues
Ce grand théropode de 10 m de long a été l'un des premiers théropodes découverts. Les restes trouvés au siècle dernier ont malheureusement été détruits lors de la Seconde Guerre mondiale. Il utilisait ses membres antérieurs, particulièrement grands et munis de griffes acérées, pour saisir et déchiqueter ses proies.

C'est en 1824 que fut décrit dans un ouvrage scientifique le premier théropode : Megalosaurus, un grand carnivore proche cousin de Poekilopleuron. Le fossile, ayant servi à définir ce genre, était un simple fragment de mâchoire découvert dans le Jurassique moyen d'Angleterre.

Un grand théropode a été découvert en Antarctique dans des couches géologiques datant du Jurassique inférieur. Il a été nommé Cryolophosaurus, "reptile du froid à crête", car il possédait une étonnante crête au-dessus des orbites.

VOIR LES ANIMAUX

Ceratosaurus

Famille : *Ceratosauridae*
Étymologie : reptile à cornes
Âge : Jurassique supérieur,
146 à 135 millions d'années
Lieu : Amérique du Nord (Utah, Colorado)
Exemples de proies : *Stegosaurus, Camptosaurus*
Bien que plus petit que son contemporain *Allosaurus*, ce carnivore de 6 m
de long devait être une redoutable menace pour les ornithopodes qu'il chassait.
Il possédait quatre doigts terminés par des griffes, alors que la plupart des autres
théropodes n'en avaient que trois. Il pouvait déformer sa mâchoire, comme
le font les serpents actuels pour avaler d'énormes morceaux de chair. Son nom
vient de la petite corne au bout de son museau.

Eustreptospondylus

Famille : *Megalosauridae*
Étymologie : reptile à "colonne vertébrale bien courbée"
Âge : Jurassique moyen, 160 à 154 millions d'années
Lieu : Grande-Bretagne
Exemples de proies : *Lexovisaurus, Cetiosaurus*
Tout comme *Allosaurus*, il avait un cou souple, lui permettant de rapides
mouvements de tête pour chasser. Malheureusement, les paléontologues
n'en connaissent qu'un spécimen dont les os indiquent qu'il n'avait pas
atteint l'âge adulte. Sa taille est donc difficile à déterminer, mais on estime
qu'il pouvait atteindre 7 à 9 m de long.

Dilophosaurus

Famille : *Halticosauridae*
Étymologie : reptile à deux crêtes
Âge : Jurassique inférieur, 201 à 187 millions d'années
Lieu : Amérique du Nord (Arizona), Chine
Dilophosaurus est le plus ancien des grands théropodes. La particularité de ce carnivore
de 6 m de long est la présence sur le crâne de crêtes osseuses parallèles s'étendant
du museau à l'arrière du crâne. Le rôle de ces crêtes demeure encore un mystère, sans doute
n'étaient-elles qu'une ornementation. Ce dinosaure possédait, en outre, une longue queue
et quatre doigts aux membres antérieurs comme *Ceratosaurus*. Ses fines mâchoires, trop
fragiles, laissent supposer qu'il était plus charognard que prédateur actif.

Pour s'attaquer aux énormes sauropodes*, les grands
théropodes du Jurassique chassaient probablement en groupe.
Les prédateurs devaient isoler un individu du troupeau, lui infliger
de nombreuses blessures puis attendre qu'il s'effondre de faiblesse.

Dans la plupart des continents, plusieurs espèces de grands
théropodes coexistaient. Se menaient-ils une guerre sans
merci pour la domination du territoire ou chassaient-ils des proies
différentes ? Les paléontologues se posent encore la question...

Des chasseurs patients

De nombreuses proies convoitées par les théropodes étaient rapides et pouvaient aisément distancer leur prédateur lors des poursuites. Certains dinosaures carnivores privilégiaient donc la chasse à l'affût, comme le font aujourd'hui les lions et autres félins, pour surprendre et saisir leurs victimes avant qu'elles n'aient le temps de prendre de la vitesse.

Les meilleurs endroits pour chasser

Un chasseur ne se poste pas n'importe où pour guetter une proie potentielle, mais à proximité de lieux fréquentés. Il devait en être de même pour les théropodes. Ceux-ci privilégiaient probablement deux types d'environnement : d'une part, la lisière des forêts qui attirait les herbivores en quête de végétation et d'ombre rafraîchissante et, d'autre part, les bordures des cours d'eau, véritables lieux stratégiques pour les animaux qui venaient régulièrement s'abreuver. Ces rivières pouvaient constituer également des barrières infranchissables qui ralentissaient ou bloquaient les proies lors des poursuites. Il ne restait plus alors au théropode qu'à sauter sur sa victime...

Attaque-éclair

Dissimulé dans l'épaisse végétation qui borde une clairière paît tranquillement un troupeau de *Rhabdodon*, des dinosaures herbivores d'environ 7 m de long et proches cousins des hypsilophodontidés. *Tarascosaurus*, un grand théropode de la famille des abélisauridés (*voir p. 58-59*), attend que l'un des ornithopodes s'approche de lui. Un jeune *Rhabdodon* s'éloigne du troupeau, attiré par la végétation qui semble plus tendre sous les arbres. À peine est-il arrivé à quelques dizaines de mètres de l'orée du bois, que le prédateur surgit et fond littéralement sur le malheureux ornithopode qui reste pétrifié. La proie n'a pas été très difficile à attraper car elle était jeune et sans expérience.

Pour les prédateurs, comme les tyrannosaures, qui ne pouvaient sans doute pas courir aussi vite et longtemps que les hadrosaures, chasser en meute leur permettait de développer des stratégies d'encerclement. Ils attrapaient ainsi leurs proies avec un minimum d'efforts physiques.

La plupart des restes fossiles de dinosaures dévorés par un théropode sont découverts dans des sédiments formés en bordure de cours d'eau. C'était en effet un lieu privilégié d'affût pour un prédateur, car de nombreux animaux venaient s'y abreuver avant d'être tués lors d'un moment d'inattention.

Les éléments pour s'aider

Pour faciliter leur approche, les théropodes s'aidaient de leur environnement pour être le plus indétectable possible. Ils contournaient leurs proies pour garder le vent en face et éviter qu'elles ne les sentent (*voir DVD, Sur la trace des dinosaures*). Il est également probable que certains prédateurs, comme *Troodon*, chassaient à l'aube, au crépuscule ou même en pleine nuit, lorsqu'il y avait peu de lumière. Ils avaient pour cela des yeux adaptés à la vision nocturne et pouvaient surprendre leurs proies alors qu'elles étaient assoupies.

LA COULEUR, ARME DE CHASSE OU DE SÉDUCTION ?

Les paléontologues ignorent la ou les couleurs des dinosaures. Mais dans le cas des théropodes, il est possible que la plupart aient eu besoin de se camoufler dans la végétation avant de se jeter sur leurs victimes.
Les chercheurs imaginent donc que les couleurs de certains dinosaures se confondaient avec leur environnement, à l'instar des prédateurs aujourd'hui, tel le lion dans les herbes de la savane. A contrario, il est aussi fort probable que les théropodes possédaient, tout comme les oiseaux, des couleurs très vives qui attiraient les femelles de leur espèce. Cette question ne sera sans doute jamais résolue…

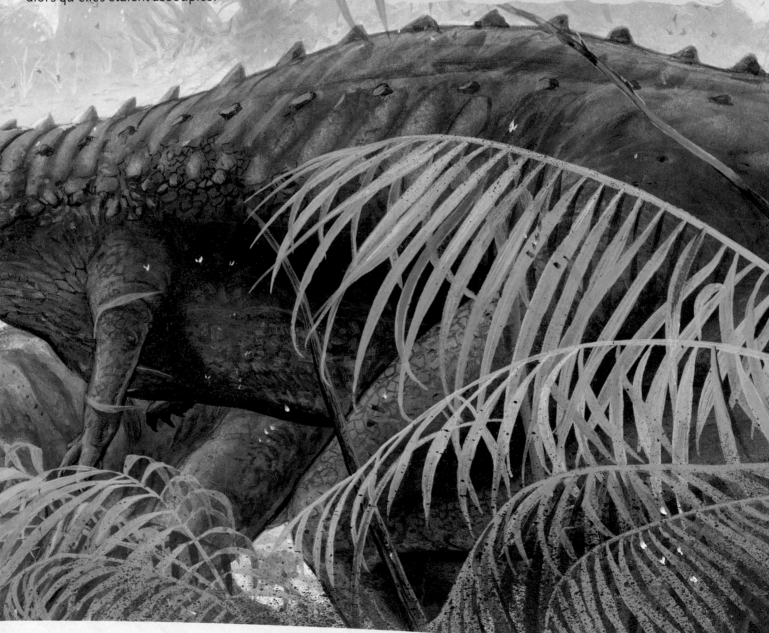

Il est fort possible que les plus grands théropodes chassaient peu souvent. Ils se contentaient plutôt de faire fuir les prédateurs moins imposants qui venaient de mettre à mort un animal afin de l'accaparer. Ils repéraient les dinosaures fraîchement tués à l'odeur ou aux cris de la victime agonisante.

Les dinosaures herbivores possédaient, comme de nombreux herbivores actuels, les yeux orientés des deux côtés du crâne. Cette vision à 180° leur évitait de se laisser surprendre par un prédateur qui pouvait surgir de n'importe où.

Les blessures et fractures observées sur les os des théropodes ne sont pas toutes le résultat de coups infligés par d'autres dinosaures. Il n'était pas rare en effet que lors de poursuites effrénées le théropode perde pied, s'effondre lourdement sur le sol et se blesse par la même occasion.

La survie d'un dinosaure herbivore face à un théropode en chasse n'était parfois qu'une histoire d'intimidation. Un cri puissant, un mouvement brusque en direction du prédateur ou encore une démonstration de force pouvait suffire à effrayer définitivement le chasseur.

Le chasseur chassé !

Pour un théropode, chasser n'était pas une activité sans risque,
et il arrivait souvent que le "repas" convoité se défende.
Les paléontologues ont pu observer que même les grands
allosaures pouvaient être victimes de leurs propres proies !

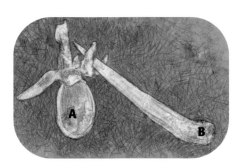

❶ UN TROU QUI EN DIT LONG

Cette vertèbre d'allosaure **A** a été percée par
une épine **B** de la queue d'un stégosaure avec
beaucoup de force pour pouvoir atteindre l'os
et le transpercer ! Même si cette blessure ne lui
a pas été fatale, il est fort probable qu'elle a été
suffisamment douloureuse pour le faire renoncer
à poursuivre sa proie.

◥ Pour la petite histoire

En 1991, le squelette entier d'un dinosaure, datant
de 145 millions d'années, est trouvé dans le Wyoming,
aux États-Unis. En reconstituant l'allosaure, les
scientifiques observent dix-neuf blessures et tentent
d'imaginer ce qu'a pu être la vie de ce grand prédateur du
Jurassique. C'est le point de départ d'un fabuleux
documentaire de la BBC qui retrace les quinze années
d'existence fort mouvementées de "Big Al", quinze
années pendant lesquelles le théropode a subi un
nombre impressionnant d'accidents et de blessures
en tout genre.

↰ *Malgré toutes
les précautions
que l'allosaure a
prises pour éviter
d'être dans l'axe de
la queue de sa proie,
il vient d'être frappé
par le stégosaure qu'il
convoitait. Ce dernier
vient de lui asséner
un puissant coup
de sa queue terminée
par de longues
et massives épines
osseuses. Si elle
ne s'infecte pas,
la blessure vaudra
tout de même au
théropode quelques
jours de mouvements
douloureux qui
risquent d'affaiblir ses
facultés de chasseur.*

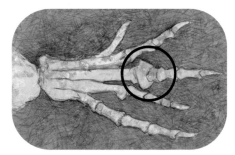

❷ HANDICAPÉ PAR UN ÉNORME ABCÈS...

L'allosaure surnommé "Big Al" n'a pas eu de
chance. À la suite de la fracture d'un os du pied
(une phalange du doigt central) peut-être causée
par un allosaure femelle, celui-ci n'a pas pu
cicatriser correctement et la plaie s'est infectée.
Une quantité de matière osseuse s'est fabriquée
autour de l'os brisé, ce qui a certainement
handicapé l'allosaure pour le reste de sa vie.
Il n'a probablement plus pu chasser depuis
cette blessure qui le faisait souffrir et boiter.

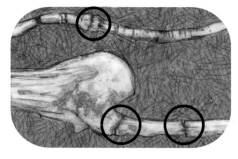

❸ ... ET DE NOMBREUSES FRACTURES

Le malheureux allosaure n'a pas souffert que du
pied. Les paléontologues ont découvert qu'il avait
subi d'autres fractures et blessures sur de
nombreux os comme les vertèbres, les côtes ou
encore les membres. L'endroit précis où l'os s'est
brisé a été recouvert et épaissi par de l'os nouveau
qui permet de solidifier le tout. Ces blessures
profondes témoignent de la violence extrême des
combats auxquels se livraient les dinosaures, l'un
pour sa survie et l'autre pour son déjeuner !

*Lorsqu'un théropode parvenait à abattre sa proie, son repas
n'était pas encore assuré. Attirés par l'odeur du sang, d'autres
carnivores surgissaient pour tenter de s'emparer de la chair fraîche.
Dans ce genre d'affrontement, le plus imposant l'emportait souvent...*

*Dans la nature, lorsqu'un animal se remet de graves blessures,
il perd souvent une partie de ses capacités de déplacement.
Un prédateur blessé doit continuer à s'alimenter, donc à chasser.
Si ses blessures cicatrisent mal, elles peuvent le handicaper à vie.
Il en était de même pour les dinosaures.*

Les carcharodontosauridés

Proches parents des allosauridés, les carcharodontosauridés
étaient de gigantesques théropodes comprenant les espèces
battant tous les records de taille. Ils étaient les prédateurs
dominants durant la première moitié du Crétacé sur
de nombreux continents.

Giganotosaurus

Étymologie : reptile géant du Sud
Âge : Crétacé supérieur, 91 à 88 millions d'années
Lieu : Argentine
Exemple de proies : *Argentinosaurus*
Alors que *Carcharodontosaurus* dominait
les terres sahariennes, son proche cousin
Giganotosaurus sévissait en Amérique du Sud.
D'une taille tout aussi démesurée, environ 13 m,
ce prédateur qui surpassait *Tyrannosaurus rex*
avait pourtant un cerveau bien plus petit, comparable
à la taille d'une banane ! Le premier squelette de
Giganotosaurus a été découvert à proximité de celui
d'un *Argentinosaurus*, un sauropode* de grande taille
qui a sans doute constitué le dernier repas du théropode.

Carcharodontosaurus

Étymologie : reptile à dents de requin
Âge : milieu du Crétacé, 113 à 95 millions d'années
Lieu : Afrique du Nord
Exemples de proies : *Bahariasaurus, Paralititan*
Pouvant atteindre plus de 14 m de long avec un crâne faisant à lui seul 1,60 m,
Carcharodontosaurus est l'un des plus gros prédateurs terrestres ayant existé
(*voir aussi p. 26-27*). Il vivait dans l'actuel Sahara dominé à l'époque par une
végétation luxuriante. Il s'attaquait aux géants sauropodes, tels
Rebbachisaurus ou *Paralititan*. Son curieux nom provient de la découverte
de certaines de ses dents, ressemblant à celles du grand requin blanc
Carcharodon.

Les carcharodontosauridés sont si proches des allosauridés
que les paléontologues ne sont pas toujours d'accord
pour classer certains théropodes dans l'une ou l'autre famille.
C'est le cas de Giganotosaurus, Acrocanthosaurus et Neovenator
qui sont classés parfois dans le groupe des allosauridés.

L'étonnante similitude entre les deux dinosaures
Carcharodontosaurus et Giganotosaurus laisse penser qu'ils
ne sont en réalité qu'un seul et même animal. Ce(s) théropode(s)
aurai(en)t colonisé les deux continents, Afrique et Amérique du Sud,
encore très proches l'un de l'autre au début du Crétacé.

VOIR LES ANIMAUX

Acrocanthosaurus

Étymologie : reptile à épines dorsales
Âge : milieu du Crétacé, 115 à 105 millions d'années
Lieu : Amérique du Nord
Exemples de proies : *Tenontosaurus*, sauropodes indéterminés

D'une longueur de 12 m, ce grand prédateur vivait environ 50 millions d'années avant le tyrannosaure. Il possédait des vertèbres originales qui se terminaient par de très longues épines verticales de 43 cm de la tête à la queue. Ces épines, recouvertes de peau ou de chair, formaient une petite crête le long du dos. Elles devaient permettre l'insertion de puissants muscles et tendons pour soutenir le corps du théropode.

Neovenator

Étymologie : nouveau chasseur
Âge : Crétacé inférieur, 114 à 108 millions d'années
Lieu : Angleterre
Exemple de proies : *Iguanodon*

De taille relativement plus modeste que les autres carcharodontosauridés avec 8 m de long, *Neovenator* était toutefois l'un des plus grands prédateurs de l'actuel sud de l'Angleterre. D'une constitution relativement gracile, il était agile, rapide et pouvait s'attaquer à l'ornithopode *Iguanodon*, très abondant dans ces régions.

Carcharodontosaurus est devenu célèbre depuis la découverte en 1994 d'un crâne complet de 1,60 m de long. Il était pourtant connu depuis le début du siècle dernier, mais les seuls fossiles, qui étaient entreposés à Munich, ont été détruits lors des bombardements de la Seconde Guerre mondiale.

Dans certains terrains d'Afrique du Nord du Crétacé supérieur, les dents isolées de dinosaures sont très abondantes. Celles appartenant à Carcharodontosaurus sont très faciles à identifier car elles sont les seules à posséder des petites rides près du bord arrière.

Mortelle poursuite au Texas

Les couches géologiques livrent parfois aux paléontologues les indices de drames ayant eu lieu plusieurs millions d'années auparavant sous forme d'empreintes. Ce sont de véritables "instantanés" de scènes de chasses comme celle qui a eu lieu au Texas il y a environ 110 millions d'années.

Les protagonistes

La scène se déroule durant le Crétacé inférieur, sur le rivage d'une ancienne mer qui recouvrait une partie du Texas. Un troupeau d'une douzaine de sauropodes* de grande taille (brontosaures ou brachiosauridés) se déplacent à vive allure dans la même direction, poursuivis par trois gigantesques théropodes pouvant être des carcharodontosauridés affamés.

Les empreintes

Les sauropodes étaient des dinosaures quadrupèdes* aux pattes massives ressemblant un peu à celles des éléphants. Les empreintes qu'ils laissaient étaient de véritables trous atteignant plusieurs dizaines de centimètres de profondeur en fonction de la nature du sol (boue, sol sec, sable) sur lequel ils marchaient. Il est possible de distinguer les pattes avant, plus petites et en croissant de lune, des pattes arrière très arrondies.
Les théropodes sont bipèdes* et très souvent tridactyles (pieds à trois doigts). Leurs empreintes montrent trois extrémités et ressemblent aux traces des oiseaux. Plus légers en moyenne que les sauropodes, les théropodes laissent des empreintes moins profondes dans le sédiment. Si celles-ci sont bien conservées, on distingue les griffes acérées et parfois l'impression de la peau du pied.

Une attaque controversée

L'interprétation de ces pistes ne met pas les paléontologues d'accord. Certains y voient une poursuite ❶ durant laquelle les théropodes terrorisent la meute de sauropodes en les talonnant de près, alors que d'autres pensent que les empreintes se sont déposées en deux étapes ❷ : les sauropodes sont passés dans un premier temps, puis quelques minutes ou heures plus tard les théropodes. Toujours est-il que la similitude entre la trajectoire des sauropodes et celle des théropodes n'est pas le fruit du hasard.

COMMENT SE FORME UNE E

*Les traces de pas d'animaux ne peuvent f
conditions : l'animal doit marcher dans d
l'eau. L'eau recouvre par la suite délicater*

❶ ❷ ❸

une t
Ceux-
en ro
dispa
(4). L
puis f
ou co

❹ ❺ ❻

Grâce à la paléo-ichnologie, l'étude des empreintes fossiles, il est possible de mieux comprendre le type de déplacement de nombreux reptiles. Des chercheurs ont montré, par exemple, que les ptérosaures se déplaçaient au sol sur quatre pattes, et non sur deux comme les oiseaux.

L'étude des empreintes a permis de savoir que les dinosaures se déplaçaient comme les mammifères (aucun contact entre le corps et le sol) et non comme les autres reptiles qui, en rampant, laissent traîner leur ventre et leur queue au sol.

TE FOSSILE ?

sous certaines
(1) au bord de
einte (2) et dépose
de sédiments (3).
orment lentement
partie supérieure
l'effet de l'érosion
est ainsi conservée,
forme concave (5)

En mesurant divers paramètres comme la taille des empreintes, la distance entre deux pattes ou encore entre les pattes antérieures et postérieures, il est possible de retrouver la taille du dinosaure et la vitesse à laquelle il se déplaçait.

Même s'il est difficile de savoir à quel dinosaure appartiennent des empreintes trouvées dans la roche, il est possible de connaître quel grand groupe de dinosaures les a produites, car chacun d'entre eux a une morphologie et un mode de locomotion (bipède ou quadrupède) bien particulier.

Les tyrannosauridés

Sur les terres d'Amérique du Nord et d'Asie sévissaient les plus grands et les plus terrifiants prédateurs du Crétacé : les tyrannosauridés. Des proportions impressionnantes et de puissantes mâchoires de carnassier ont fait de ces théropodes les pires chasseurs de tous les temps !

Daspletosaurus

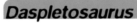

Étymologie : terrifiant reptile mangeur de chair
Âge : Crétacé supérieur, 83 à 72 millions d'années
Lieu : Amérique du Nord
Exemples de proies : *Styracosaurus, Monoclonius*

Même si, avec ses 9 m de long, il était plus petit mais tout aussi puissant que son parent *Tyrannosaurus*, c'est lui qui possédait les plus grosses dents de tous les tyrannosauridés. Pour éviter de se trouver en compétition avec son contemporain, le tyrannosauridé *Albertosaurus*, les deux prédateurs ne chassaient pas les mêmes proies : peut-être *Daspletosaurus* préférait les cératopsiens, et *Albertosaurus* les hadrosaures.

Tarbosaurus

Étymologie : reptile angoissant
Âge : Crétacé supérieur, 83 à 65 millions d'années
Lieu : Mongolie, Chine
Exemples de proies : *Saurolophus, Prenocephale, Nemegtosaurus*

Avec ses 12 m de long, ce prédateur était l'un des plus gros théropodes d'Asie. Proche cousin de *Tyrannosaurus*, il avait lui aussi des membres antérieurs très réduits, avec deux doigts à chaque main ; mais son crâne, plus grand et plus léger, se distinguait de celui de son célèbre parent américain. *Tarbosaurus* ressemble tellement à *Tyrannosaurus* que certains paléontologues pensent que ces deux théropodes appartiennent au même genre.

Dilong

Étymologie : dragon empereur
Âge : Crétacé inférieur, environ 130 millions d'années
Lieu : Chine
Exemples de proies : petits vertébrés*

Découvert en 2004, ce petit prédateur de 1,50 m de long avait une partie du corps recouverte de protoplumes, c'est-à-dire de grands filaments duveteux qui devaient lui tenir chaud. Il vivait entouré de théropodes, pourvus eux aussi de plumes qui appartenaient à diverses familles, tels les dromeosauridés (*voir p. 48-49*) et les thérizinosauridés (*voir p. 56-57*). Son autre singularité était de posséder des membres antérieurs longs et des mains à trois doigts contrairement aux autres tyrannosauridés.

Le tyrannosauridé chinois du genre Dilong a été nommé Dilong paradoxus car sa petite taille et le fait qu'il soit recouvert de plumes sont vraiment paradoxaux, c'est-à-dire très étrange, pour un membre de la terrifiante famille des tyrannosauridés !

Depuis la découverte du tyrannosauridé ancestral à plumes (Dilong), les paléontologues imaginent que les tyrannosaures plus récents ont aussi possédé des plumes lorsqu'ils étaient tout jeunes, puis les auraient perdues en atteignant l'âge adulte.

Guanlong

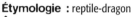

Étymologie : dragon couronné
Âge : Jurassique supérieur,
161 à 156 millions d'années
Lieu : Chine
Exemple de proies :
Eugongbusaurus
Deux squelettes presque complets de
ce prédateur d'environ 3 m de long
ont été décrits par des paléontologues
américains en 2006. Il possédait au
sommet de son crâne une énorme
crête osseuse qui lui servait de signe
de reconnaissance pour les autres
membres de son espèce. Ce théropode
est aujourd'hui le plus ancien membre
connu des tyrannosauridés.

Albertosaurus

Étymologie : reptile de l'Alberta (Canada)
Âge : Crétacé supérieur, 83 à 70 millions d'années
Lieu : Amérique du Nord
Exemples de proies : *Corythosaurus,*
Hypacrosaurus
Quelques millions d'années avant *Tyrannosaurus rex,*
apparaissait *Albertosaurus*, un théropode de 8 m
de long. Son crâne est très semblable à celui du
tyrannosaure, mais ses jambes plus fines et plus
longues lui permettaient d'atteindre des vitesses
d'environ 40 km/h. De plus, ses dents tranchantes
et incurvées vers l'arrière indiquent qu'il était
un chasseur redoutable.

Gorgosaurus

Étymologie : reptile-dragon
Âge : Crétacé supérieur, 75 millions d'années
Lieu : Amérique du Nord
Exemples de proies : *Kritosaurus, Pentaceratops*
Grâce à la découverte de plus de vingt squelettes, ce dinosaure, de 8 m
de long, est parfaitement connu par les paléontologues. Proche parent
d'*Albertosaurus*, il se distingue par les petites cornes qu'il possédait
au-dessus des yeux. Il était aussi de constitution plus légère faisant
de lui un chasseur efficace. *Gorgosaurus* vivait et chassait en groupe :
avec ses congénères,
ils constituaient
de terrifiants
adversaires
pour les hadrosaures
(dinosaures à bec de
canard) et les cératopsiens
qui croisaient leur chemin.

Siamotyrannus

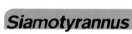

Étymologie : le tyran du Siam (ancien nom de la Thaïlande)
Âge : Crétacé inférieur, environ 130 millions d'années
Lieu : Thaïlande
Exemple de proies : *Puwiangosaurus*
De même que le *Dilong* de Chine, *Siamotyrannus* était
un ancêtre des tyrannosauridés de la fin du Crétacé (*Tarbosaurus,*
Tyrannosaurus). Ce théropode d'environ 6,50 m n'est actuellement
connu que par son bassin, quelques vertèbres de la queue
et de nombreuses dents isolées très robustes et aux bordures tranchantes.

Pendant longtemps, les paléontologues considéraient que les
tyrannosaures descendaient des théropodes du Jurassique, tels
Allosaurus ou Acrocanthosaurus. *Les nouvelles techniques d'analyse*
montrent qu'ils étaient plus proches des droméosauridés, des
ornithomimosaures et même du petit Compsognathus !

Les membres antérieurs des tyrannosauridés se sont
progressivement réduits et le nombre de doigts à la main est
passé de trois à deux. Ils devaient se servir exclusivement de leur
gueule pour agripper leurs proies au détriment de leurs mains.

Tyrannosaurus rex : prédateur ou charognard ?

La star des dinosaures, maintes fois rendue célèbre par la littérature et le cinéma, est un sujet d'études passionnant. Les curieuses spécialisations anatomiques liées à son mode de vie divisent les paléontologues. Était-il un prédateur actif ou un charognard ?

Bâti pour vaincre

Avec ses 12 m de long, ses 7 tonnes et une gueule pouvant avaler en une bouchée plus de 70 kg de viande, le *Tyrannosaurus rex* n'avait pas d'égal sur son territoire de chasse. Il possédait un crâne très robuste avec de nombreuses dents de 18 cm de long en forme de poignard, bien plus épaisses que celles de la plupart des autres théropodes (*voir p. 20-21*). Ses membres antérieurs étaient extrêmement réduits et ses doigts ne pouvaient atteindre sa gueule. Pour certains chercheurs, de telles caractéristiques indiquent qu'il ne chassait pas et qu'il se nourrissait, au contraire, de carcasses d'animaux qu'il croquait en brisant les os avec ses puissantes mâchoires. Quelques paléontologues pensent aussi qu'il était trop gros et trop lourd pour courir vite, alors que d'autres estiment qu'avec ses vigoureux membres postérieurs, il pouvait se déplacer à 47 km/h !

Herbivores au menu

Les hadrosaures, comme *Trachodon* ou *Edmontosaurus*, et les cératopsiens, tel *Triceratops*, constituaient l'essentiel de l'alimentation de *T. rex* (abréviation américaine pour *Tyrannosaurus rex*). Les scientifiques ont observé de nombreuses traces de morsures sur les os de ces herbivores ainsi que des petits fragments osseux de ces mêmes dinosaures dans des coprolithes (crottes fossilisées) de tyrannosaure. Un squelette d'hadrosaure montre même des blessures infligées par ce théropode, qui ont cicatrisé par la suite, indiquant clairement que *T. rex* s'attaquait à des dinosaures vivants. Alors le "roi des reptiles tyrans" était-il prédateur, à l'instar du lion ou charognard comme la hyène ? On répondra simplement que, de nos jours, de nombreux prédateurs ne rechignent pas à dévorer une charogne quand l'occasion se présente...

DES SENS QUI NE TROMPENT PAS

Pour être efficace, un bon prédateur doit posséder une ouïe fine, un odorat bien développé et une vue perçante. Ces qualités se traduisent par un extrême développement des zones du cerveau correspondant à ces organes sensitifs. En étudiant la cavité cérébrale des crânes de tyrannosaure, les paléontologues se sont aperçus que leur cerveau possédait des zones sensorielles* très développées caractéristiques d'un prédateur et non d'un charognard.

Tyrannosaurus rex était supposé avoir des bras frêles et inutiles. Pourtant, des études ont montré qu'ils pouvaient allègrement soulever jusqu'à 180 kg !

Les paléontologues pensaient que T. rex était un animal solitaire. La découverte de plusieurs squelettes complets les uns à côté des autres et dans plusieurs gisements prouvent le contraire. Il est difficilement concevable que plusieurs dinosaures solitaires soient morts au même endroit.

● Un prédateur prudent

En comparant la fréquence des morsures de tyrannosaure observées sur les différents dinosaures herbivores, les paléontologues ont remarqué que les hadrosaures constituaient des proies de choix, alors que les cératopsiens présentent moins de traces de morsures et les ankylosaures pratiquement pas. Le tyrannosaure hésitait donc à s'attaquer aux animaux protégés par d'épaisses carapaces osseuses ou armés pour se défendre. S'il était charognard, il aurait dévoré n'importe quel animal mort car celui-ci ne représentait aucun danger. Ces indices semblent montrer par conséquent qu'il était un prédateur privilégiant les proies faciles.

Des pistes de Tyrannosaurus rex, découvertes et étudiées par les paléontologues, indiquent qu'avec des pieds de 75 cm de longueur et de 35 cm de largeur, le "roi des reptiles tyrans" avait des enjambées qui pouvaient atteindre les 3,75 m !

Le plus gros coprolithe (matière fécale fossilisée) de dinosaure carnivore, trouvé au Canada, fait 44 cm de long et pèse près de 7 kg. D'après sa taille et son âge, il ne peut s'agir que d'un coprolithe de tyrannosaure.

Spinosauridés : les énigmatiques mangeurs de poissons

Les grands prédateurs du Mésozoïque* comptaient un groupe particulier de théropodes au museau très allongé et garni de nombreuses dents coniques comme celui des crocodiles. Leur activité principale était la pêche, domaine dans lequel ils devaient exceller.

Spinosaurus

Étymologie : reptile à épines
Âge : milieu du Crétacé, 96 à 91 millions d'années
Lieu : Afrique du Nord

Avec ses 15 m de long, *Spinosaurus* était le théropode le plus imposant de son groupe et l'un des plus grands théropodes ayant existé (*voir aussi p. 27*). Ce prédateur africain possédait des vertèbres à immenses épines neurales* atteignant 1 m de haut qui devaient tendre un voile de peau l'aidant à réguler sa température corporelle. Ses longs membres antérieurs pourvus de griffes l'aidaient à harponner le poisson qui constituait sa principale source d'aliments.

Baryonyx

Étymologie : lourde griffe
Âge : Crétacé inférieur, 115 millions d'années
Lieu : Angleterre

Plus petit que son cousin africain *Spinosaurus*, *Baryonyx* ne faisait que 9 m de long. Il était particulièrement bien équipé pour la pêche grâce à son museau très effilé, ses longues griffes recourbées et acérées, ainsi que ses narines situées en arrière du museau qui lui permettaient de respirer avec une partie de la tête sous l'eau. Dans sa cage thoracique ont été trouvées des écailles de poissons en partie digérées par l'animal, attestant son régime piscivore.

Des dents de Baryonyx ont été trouvées en Espagne, ainsi que des empreintes de pas de théropode montrant les traces d'une sorte de palmure entre les doigts. Si ces empreintes se révèlent être celles de Baryonyx, *cela indiquerait que des dinosaures ne seraient pas exclusivement terrestres.*

Le spinosauridé Irritator a reçu comme nom d'espèce challengeri *en référence au roman de Conan Doyle,* Le Monde perdu, *paru en 1912, dans lequel le professeur Challenger partait à la recherche de dinosaures vivant dans la forêt amazonienne.*

Siamosaurus

Étymologie : reptile du Siam (ancien nom de la Thaïlande)
Âge : Crétacé inférieur, 110 millions d'années
Lieu : Thaïlande

Jusqu'à très récemment, seules des dents coniques isolées de ce théropode étaient connues. Son statut même de spinosauridé était contesté. Depuis, des vertèbres terminées par de grandes épines neurales ont été découvertes et montrent que *Siamosaurus* était bien un spinosauridé. Il était plus petit que *Spinosaurus*, atteignant tout juste les 6 m de long.

Irritator

Étymologie : celui qui énerve
Âge : Crétacé inférieur, 110 millions d'années
Lieu : Brésil

L'histoire de la découverte de ce spinosauridé de 7 à 8 m de long a été quelque peu "irritante", d'où le nom du dinosaure. En effet, le crâne qui avait été acheté à un marchand de fossiles était complété par du plâtre et des éléments d'autres dinosaures. Il possédait sur le crâne une petite crête qui le distingue des autres spinosauridés.

Cristatusaurus

Étymologie : reptile à crête
Âge : Crétacé inférieur, 108 à 96 millions d'années
Lieu : Niger

Ce théropode d'environ 10 m de long avait été décrit en 1999 par une équipe française sur la base de quelques restes du crâne. Plus récemment, un squelette complet, découvert dans les mêmes gisements, a été baptisé à tort *Suchomimus* (qui ressemble à un crocodile) par des chercheurs américains.
Il s'agit en réalité du même animal… Toutefois, sa grande ressemblance avec *Baryonyx* pousse certains paléontologues à penser qu'il devrait être baptisé comme son homologue anglais.

Les spinosauridés mangeaient-ils exclusivement du poisson ? La découverte d'une dent d'Irritator plantée dans une vertèbre de ptérosaure montre que ces théropodes pouvaient aussi être opportunistes* comme le sont tous les animaux carnivores.

Il est normalement possible d'identifier une dent de théropode grâce à sa forme comprimée et aux denticules* présents le long des bordures. Pour les spinosauridés, c'est plus difficile car leurs dents sont coniques, sans denticules et ressemblent aux dents de crocodiles.

Droméosauridés : quand l'attaque vient d'en bas

Présentés dans les films Jurassic Park comme étant encore plus dangereux que le T. rex, ces petits théropodes du Crétacé semaient la terreur sur pratiquement tous les continents. Agiles, rapides et armés pour la chasse, ils utilisaient leur énorme griffe du pied pour saigner leurs victimes avant de les dévorer.

Bambiraptor

Étymologie : Bambi le voleur
Âge : Crétacé supérieur, 70 millions d'années
Lieu : Amérique du Nord (Montana)
Exemples de proies : petits vertébrés*, insectes
Ce prédateur de 90 cm de long est l'un des plus petits théropodes ayant existé. Son squelette très léger et ses longues jambes indiquent qu'il devait être un champion de la course. Sa taille suggère qu'il s'attaquait à des lézards, serpents, grenouilles, ou des dinosaures sortis de l'œuf. Les paléontologues pensent qu'il devait avoir le corps couvert de plumes.

Velociraptor

Étymologie : voleur rapide
Âge : Crétacé supérieur, 80 à 70 millions d'années
Lieu : Mongolie, Chine
Exemple de proies : *Protoceratops*
Avec une demi-douzaine de squelettes presque complets trouvés à ce jour, ce petit théropode d'environ 1,80 m de long est bien connu des paléontologues. Il possédait de très fines dents tranchantes incurvées vers l'arrière pour retenir les proies qu'il mordait.

DVD

Microraptor

Étymologie : petit voleur
Âge : Crétacé inférieur, 115 millions d'années
Lieu : Chine
Exemples de proies : petits vertébrés, insectes
Ce minuscule droméosaure de 70 cm de long, tout couvert de plumes, devait plus ressembler à un oiseau qu'à un dinosaure (*voir p. 26 et p. 52-53*). En effet, ses petites griffes recourbées lui permettaient de s'accrocher aux branches des arbres sur lesquelles il s'adonnait à la chasse aux insectes. Il ne devait toutefois pas dédaigner les reptiles ou les amphibiens quand l'occasion se présentait.

Jusque dans les années 1990, les droméosauridés n'étaient connus qu'en Laurasia, laissant penser qu'ils étaient apparus après la formation des deux supercontinents séparés par la mer Téthys. Depuis, on en a découvert en Afrique et en Amérique du sud, suggérant qu'ils sont apparus bien avant.

Les Velociraptor qui font la vedette des films Jurassic Park sont en réalité des Deinonychus. Pour des raisons purement cinématographiques, les réalisateurs ont préféré associer le nom des petits droméosaures asiatiques avec le corps des grands Deinonychus, plus effrayants.

VOIR LES ANIMAUX

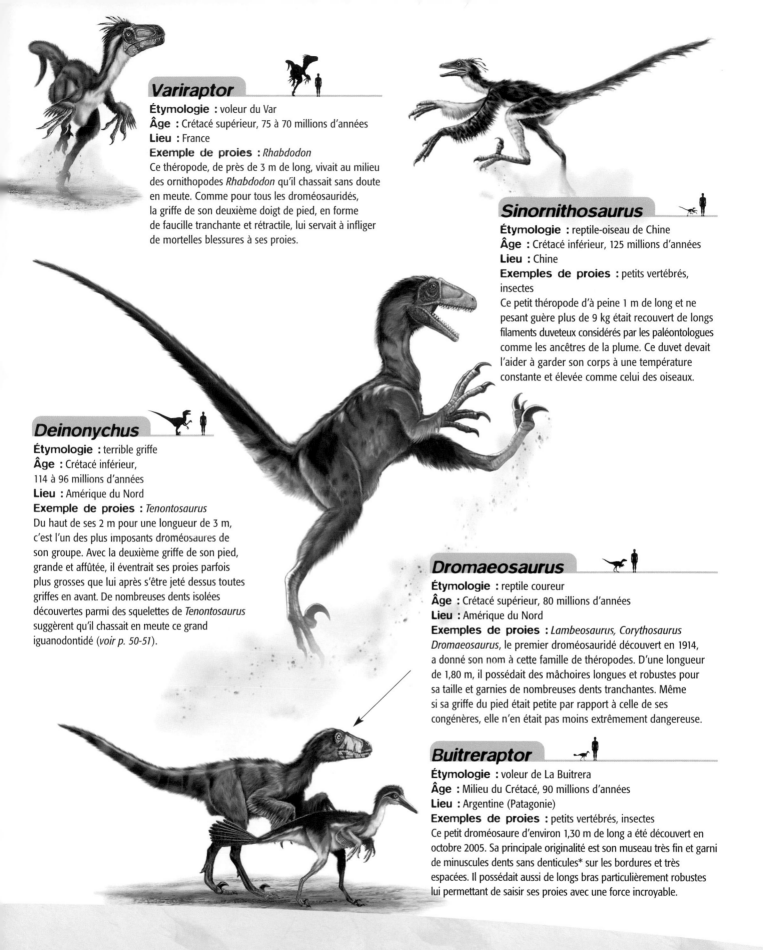

Variraptor

Étymologie : voleur du Var
Âge : Crétacé supérieur, 75 à 70 millions d'années
Lieu : France
Exemple de proies : *Rhabdodon*
Ce théropode, de près de 3 m de long, vivait au milieu des ornithopodes *Rhabdodon* qu'il chassait sans doute en meute. Comme pour tous les droméosauridés, la griffe de son deuxième doigt de pied, en forme de faucille tranchante et rétractile, lui servait à infliger de mortelles blessures à ses proies.

Sinornithosaurus

Étymologie : reptile-oiseau de Chine
Âge : Crétacé inférieur, 125 millions d'années
Lieu : Chine
Exemples de proies : petits vertébrés, insectes
Ce petit théropode d'à peine 1 m de long et ne pesant guère plus de 9 kg était recouvert de longs filaments duveteux considérés par les paléontologues comme les ancêtres de la plume. Ce duvet devait l'aider à garder son corps à une température constante et élevée comme celui des oiseaux.

Deinonychus

Étymologie : terrible griffe
Âge : Crétacé inférieur, 114 à 96 millions d'années
Lieu : Amérique du Nord
Exemple de proies : *Tenontosaurus*
Du haut de ses 2 m pour une longueur de 3 m, c'est l'un des plus imposants droméosaures de son groupe. Avec la deuxième griffe de son pied, grande et affûtée, il éventrait ses proies parfois plus grosses que lui après s'être jeté dessus toutes griffes en avant. De nombreuses dents isolées découvertes parmi des squelettes de *Tenontosaurus* suggèrent qu'il chassait en meute ce grand iguanodontidé (*voir p. 50-51*).

Dromaeosaurus

Étymologie : reptile coureur
Âge : Crétacé supérieur, 80 millions d'années
Lieu : Amérique du Nord
Exemples de proies : *Lambeosaurus, Corythosaurus*
Dromaeosaurus, le premier droméosauridé découvert en 1914, a donné son nom à cette famille de théropodes. D'une longueur de 1,80 m, il possédait des mâchoires longues et robustes pour sa taille et garnies de nombreuses dents tranchantes. Même si sa griffe du pied était petite par rapport à celle de ses congénères, elle n'en était pas moins extrêmement dangereuse.

Buitreraptor

Étymologie : voleur de La Buitrera
Âge : Milieu du Crétacé, 90 millions d'années
Lieu : Argentine (Patagonie)
Exemples de proies : petits vertébrés, insectes
Ce petit droméosaure d'environ 1,30 m de long a été découvert en octobre 2005. Sa principale originalité est son museau très fin et garni de minuscules dents sans denticules* sur les bordures et très espacées. Il possédait aussi de longs bras particulièrement robustes lui permettant de saisir ses proies avec une force incroyable.

Les droméosaures devaient constituer un groupe riche et diversifié, car de nombreuses espèces ont déjà été découvertes alors que leurs petits os creux et fragiles se conservent généralement fort mal lors de la fossilisation.

Selon plusieurs études, les droméosaures seraient les plus proches parents des oiseaux. Au premier abord, il aurait été facile de prendre certains d'entre eux pour de véritables volatiles !

La meute est lâchée

Seul face à ses agresseurs, Tenontosaurus, terrifié, ne sait plus que faire. Les droméosaures l'encerclent, se jettent sur ses flancs tour à tour et, d'un violent mouvement de jambe, ils lui infligent une profonde blessure au ventre. Rapidement épuisé et perdant beaucoup de sang, l'iguanodontidé finit par succomber. Le festin des petits théropodes peut alors commencer.

Quand le nombre compense la taille

Seul face à un grand dinosaure herbivore, un droméosauridé n'avait aucune chance d'en faire son repas. Il préférait d'ailleurs s'attaquer à des proies plus menues qu'il réussissait à prendre de vitesse. Mais quand ses proies favorites venaient à manquer, il se joignait à ses congénères (*voir DVD, Sur la trace des dinosaures, chap. 2*). Ils attaquaient donc en meute un dinosaure plus imposant qu'ils se partageaient par la suite... si les grands théropodes qui rôdaient leur en laissaient le temps !

Une stratégie dictée par les griffes

Les griffes des droméosauridés, qui ne sont pas toutes identiques, ont des fonctions bien distinctes. Grâce à leurs longs membres antérieurs aux griffes acérées, ces dinosaures sautaient d'un bond sur leur victime, et s'y agrippaient. Ils utilisaient ensuite leurs membres postérieurs pourvus tous deux d'une griffe fort développée, arrondie et coupante, pour lacérer le corps de la proie, puis se laissaient retomber au sol en gardant les griffes bien plantées dans la chair pour élargir les blessures.

Un environnement propice à l'embuscade

La taille "réduite" des droméosauridés leur permettait de vivre dans les forêts qui les protégeaient non seulement des plus gros prédateurs, mais qui fourmillaient également de petites proies. Lorsqu'un énorme herbivore s'aventurait dans un bois, il perdait de sa mobilité et était facilement à la merci des agiles théropodes. Il n'est pas non plus exclu que les droméosaures rabattaient l'animal qu'ils convoitaient au cœur de la forêt pour l'attaquer ensuite.

Une meute de Velociraptor attaque un Protoceratops, vieux et malade, qui ne mettra pas longtemps à succomber aux coups des griffes et des dents des redoutables carnassiers.

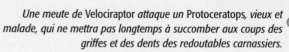

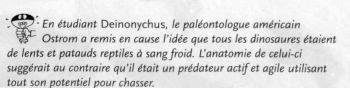

En étudiant Deinonychus, le paléontologue américain Ostrom a remis en cause l'idée que tous les dinosaures étaient de lents et patauds reptiles à sang froid. L'anatomie de celui-ci suggérait au contraire qu'il était un prédateur actif et agile utilisant tout son potentiel pour chasser.

Les droméosaures sont considérés comme des dinosaures fort intelligents car ils possédaient un cerveau très grand par rapport à la taille de leur corps. C'est pourquoi certains paléontologues les croient capables de chasser de manière organisée.

VOIR LES ANIMAUX

Les plus anciens restes de droméosauridés trouvés seraient des dents isolées provenant du Jurassique supérieur du Portugal. Cette découverte laisse supposer que ce groupe de théropodes est apparu en Europe avant de se disperser sur les différents continents.

Un étonnant fossile de Velociraptor enlaçant un Protoceratops a été découvert en Mongolie. Il semble que les deux dinosaures soient morts et rapidement ensevelis au cours d'une tempête alors qu'ils s'adonnaient à une lutte sans merci.

Voler pour mieux chasser

En 2003, une équipe de paléontologues chinois découvrent plusieurs squelettes d'un petit droméosauridé possédant de nombreuses plumes et des membres lui permettant de voler. Les oiseaux et les ptérosaures n'étaient donc pas les seuls vertébrés* à s'élancer dans les cieux du Crétacé !

MICRORAPTOR ET LES OISEAUX

De nombreux squelettes d'oiseaux fossiles ont été extraits des roches contenant Microraptor. À cette époque, les oiseaux existaient depuis 20 millions d'années. Leur ancêtre, Archéoptéryx, trouvé en Bavière dans des calcaires datant de la fin du Jurassique, présentait une morphologie étonnante combinant des traits d'oiseaux (ailes couvertes de plumes, forme de certains os) et de reptiles (dents, longue queue, griffes au bout des ailes). Bien plus récent, Microraptor ne peut être l'ancêtre des oiseaux, mais bel et bien un dinosaure capable de voler.

Microraptor gui

Du même nom de genre que son cousin droméosaure (*voir p. 48-49*), *Microraptor gui* vivait dans le nord-est de la Chine au début du Crétacé, il y a 120 millions d'années. Le plus étonnant concernant ce minuscule théropode de 80 cm de long est la présence sur ses membres de plumes particulières, les "rémiges" (du latin *remex*, "rameur") qui lui permettaient de voler. Avec ses quatre ailes et sa longue queue elle aussi recouverte de longues plumes dites "rectrices" (du latin *rectrix*, "directrice"), il pouvait sauter et planer d'arbre en arbre à la manière des écureuils volants qui utilisent une grande membrane de peau tendue entre les membres.

Chasse active ou en piqué ?

Il est difficile aux paléontologues de savoir si *Microraptor gui* avait des muscles suffisamment développés pour effectuer un vol battu, c'est-à-dire actif, ou si celui-ci n'avait que la capacité de planer. Les fossiles découverts sont tellement aplatis sur les roches que les reconstitutions en trois dimensions des membres sont complexes. D'après les découvreurs de ce théropode, *Microraptor gui* devait planer. Pour attraper les insectes ou les petits vertébrés dont il se nourrissait, il grimpait en haut d'un arbre et lorsqu'une proie se présentait en dessous, il se jetait sur elle à grande vitesse, la saisissait avec la gueule et freinait son élan en déployant ses ailes pour se poser un peu plus loin.

Si voler procure un avantage indéniable (pour la chasse ou la fuite), peu de vertébrés ont développé cette aptitude. Mis à part les oiseaux et Microraptor, les ptérosaures sont les seuls reptiles volants ayant existé, et les chauves-souris les seuls mammifères.

Il y a quelques années, un très curieux fossile à plumes mi-oiseau mi-théropode provenant de Chine avait été acheté à des marchands et baptisé Archeoraptor, "voleur ancien". Les scientifiques se sont aperçus finalement qu'il s'agissait d'un faux, créé à partir du collage de deux animaux différents.

UN ÉVENTAIL DE PLUMES

Les oiseaux actuels ont des plumes de morphologie variée en fonction de leur utilité. Les plumes dont se sert l'oiseau pour voler, les rémiges ❶, sont de grandes plumes rigides, asymétriques et bombées sur la face supérieure. Elles ont notamment inspiré la forme de l'aile des avions. Les plumes de la queue, les rectrices ❷, ont un rôle différent, celui de direction. Enfin, le duvet ❸ recouvre tout le corps des oiseaux et les protège du froid.

Les fossiles de Chine sont à présent tellement connus dans le monde entier que de nombreux spécimens sont volés pour être revendus à l'étranger ! Pour éviter d'être dépouillés de leurs belles pièces, des musées chinois vont jusqu'à cimenter certains de leurs fossiles dans les murs !

Dans les gisements de Chine et de Mongolie, on a trouvé de nombreux théropodes à plumes : Microraptor, Sinosauropteryx, Protarchaeopteryx, Yixianosaurus, Pedopenna, Sinornithosaurus, Epidendrosaurus, Shuvuuia, Dilong, Caudipteryx, Beipiaosaurus, Psittacosaurus...

Oviraptoridés : les voleurs d'œufs ?

S'il existe un groupe qui pose un problème de taille, c'est celui des oviraptoridés. Ces théropodes bipèdes possédaient en effet un bec corné dépourvu de dents et leur corps était recouvert de plumes. Les paléontologues ne savent pas vraiment s'ils étaient encore des dinosaures ou déjà des oiseaux...

Citipati

Étymologie : seigneur du tombeau
Âge : Crétacé supérieur, 83 à 72 millions d'années
Lieu : Mongolie
Exemples de proies : *Protoceratops*, hadrosauridés

Ce théropode atteignant 3 m de long est le plus grand oviraptoridé connu à ce jour. Tout comme *Oviraptor*, il possédait une sorte de crête cornée au-dessus de la tête qui lui servait probablement à écarter la végétation à la manière du casoar actuel, un oiseau avec une excroissance similaire.

Oviraptor

Étymologie : voleur d'œufs
Âge : Crétacé supérieur, 87 à 72 millions d'années
Lieu : Mongolie
Exemple de proies : *Protoceratops*

Dans les gisements de Mongolie où ont été retrouvés les restes de ce théropode de 2,50 m de long, on a découvert de nombreux œufs ainsi que plusieurs squelettes du petit ornithopode *Protoceratops*. Selon les paléontologues, les œufs appartenaient à ce dernier. Ils ont donc conclu qu'*Oviraptor* se nourrissait de ces œufs qu'il cassait avec son gros bec. Ils l'ont nommé *Oviraptor Philoceratops*, le "voleur d'œufs qui aime les cératopsiens". Quelques années plus tard, d'autres squelettes du même théropode ont été mis au jour, accroupis sur des œufs similaires, contenant des embryons d'*Oviraptor*… Ils étaient en réalité en train de les couver !

Caudipteryx

Étymologie : queue à plumes
Âge : Crétacé inférieur, 125 millions d'années
Lieu : Chine
Exemples de proies : mystère !

Ce petit oviraptoridé primitif mesurant 90 cm de long était couvert de plumes semblables à celles des oiseaux. Celles-ci ne lui permettaient pas de voler mais jouaient plutôt un rôle de régulateur de température (*voir p. 22-23*). *Caudipteryx* possédait en outre des petites dents coniques ainsi qu'un gésier* rempli de galets lui facilitant la digestion. Était-il carnivore comme semblent l'indiquer ses dents, ou herbivore si l'on compare son gésier à celui de certains oiseaux mangeurs de végétaux ? Les paléontologues s'interrogent encore sur son régime alimentaire qui pourrait être mixte.

Au début du film Dinosaures *de Walt Disney, l'œuf de l'Iguanodon* Aladar *est dérobé par deux* Oviraptor *qui font tomber leur précieux butin dans l'eau à la suite d'une dispute. Il s'agit évidemment d'un clin d'œil des réalisateurs à la signification étymologique d'Oviraptor.*

Dans le désert de Gobi, les paléontologues trouvent souvent des squelettes de dinosaures dans des positions inhabituelles pour des fossiles, en train de couver par exemple. Au Crétacé, de violentes tempêtes de sable devaient ensevelir rapidement les animaux qui mouraient étouffés.

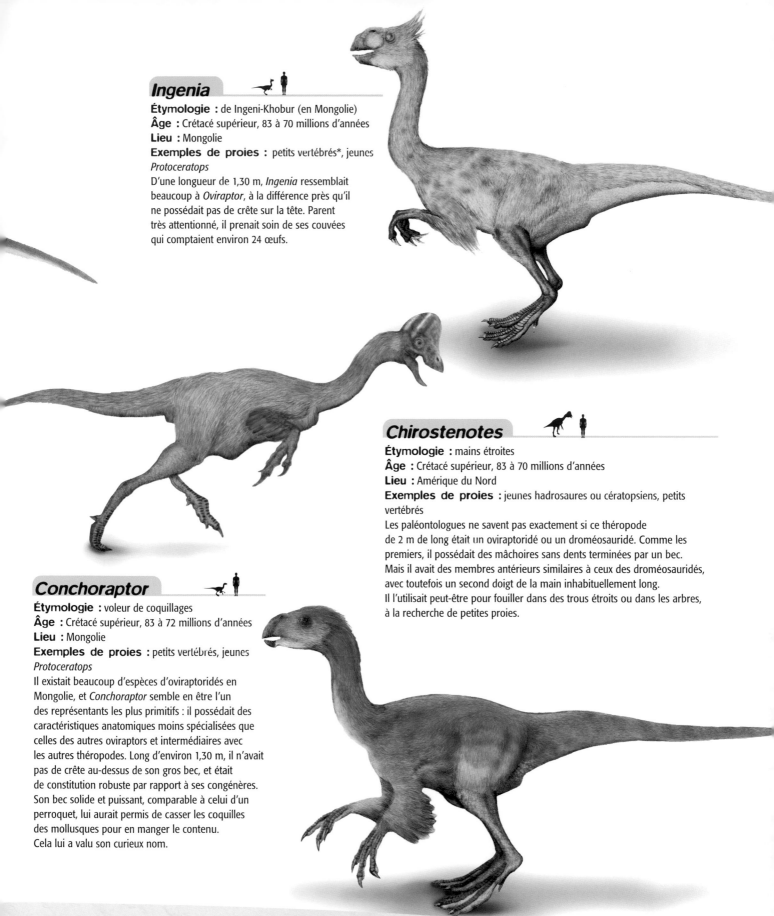

Ingenia

Étymologie : de Ingeni-Khobur (en Mongolie)
Âge : Crétacé supérieur, 83 à 70 millions d'années
Lieu : Mongolie
Exemples de proies : petits vertébrés*, jeunes *Protoceratops*

D'une longueur de 1,30 m, *Ingenia* ressemblait beaucoup à *Oviraptor*, à la différence près qu'il ne possédait pas de crête sur la tête. Parent très attentionné, il prenait soin de ses couvées qui comptaient environ 24 œufs.

Chirostenotes

Étymologie : mains étroites
Âge : Crétacé supérieur, 83 à 70 millions d'années
Lieu : Amérique du Nord
Exemples de proies : jeunes hadrosaures ou cératopsiens, petits vertébrés

Les paléontologues ne savent pas exactement si ce théropode de 2 m de long était un oviraptoridé ou un droméosauridé. Comme les premiers, il possédait des mâchoires sans dents terminées par un bec. Mais il avait des membres antérieurs similaires à ceux des droméosauridés, avec toutefois un second doigt de la main inhabituellement long. Il l'utilisait peut-être pour fouiller dans des trous étroits ou dans les arbres, à la recherche de petites proies.

Conchoraptor

Étymologie : voleur de coquillages
Âge : Crétacé supérieur, 83 à 72 millions d'années
Lieu : Mongolie
Exemples de proies : petits vertébrés, jeunes *Protoceratops*

Il existait beaucoup d'espèces d'oviraptoridés en Mongolie, et *Conchoraptor* semble en être l'un des représentants les plus primitifs : il possédait des caractéristiques anatomiques moins spécialisées que celles des autres oviraptors et intermédiaires avec les autres théropodes. Long d'environ 1,30 m, il n'avait pas de crête au-dessus de son gros bec, et était de constitution robuste par rapport à ses congénères. Son bec solide et puissant, comparable à celui d'un perroquet, lui aurait permis de casser les coquilles des mollusques pour en manger le contenu. Cela lui a valu son curieux nom.

Selon certains paléontologues, les différents traits anatomiques qui caractérisent les oviraptoridés ainsi que la possession de plumes et d'un bec indiquent que ce ne sont pas des dinosaures, mais bel et bien des oiseaux qui auraient perdu la faculté de voler, comme les autruches actuelles.

Les oviraptoridés sont des dinosaures que l'on ne trouve qu'en Laurasia. Depuis leur apparition, probablement au début du Crétacé, ils se sont dispersés entre l'Asie et l'Amérique du Nord, mais n'ont pas colonisé les continents gondwaniens à cause de l'océan Téthys qu'ils n'ont pu traverser.

Des théropodes végétariens !

Dans toute règle, il y a des exceptions. Les théropodes, par exemple,
seuls dinosaures carnivores, comptaient dans leurs rangs des herbivores !
Pour passer du steak saignant aux feuilles coriaces, ces dinosaures ont
dû adapter leur organisme à ce radical changement de régime.

Gallimimus

Étymologie : qui imite la poule
Âge : Crétacé supérieur, 80 à 70 millions d'années
Lieu : Mongolie
Cet ornithomimidé de 6 m de long était équipé pour repérer et fuir
les nombreux prédateurs de Mongolie comme *Velociraptor* ou *Tarbosaurus*.
Avec ses yeux orientés sur les côtés du crâne lui permettant de voir à 360°
et ses grandes jambes taillées pour la course, il avait toutes les chances de
survivre à une attaque. Seul un moment d'inattention pouvait lui être fatal.

Incisivosaurus

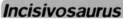

Étymologie : reptile à incisives
Âge : Crétacé inférieur, 125 millions d'années
Lieu : Chine
Les oviraptoridés n'ont pas fini d'étonner les paléontologues
qui ont découvert un crâne de 10 cm possédant les
caractéristiques des oviraptoridés, mais avec de grosses
dents en avant qui ressemblent à des incisives de rongeurs !
Ce dinosaure de 1 m de long, improbable croisement
entre un théropode et un lapin, devait utiliser
ses longues "incisives" pour ronger les plantes.

⬛ Un indice qui ne trompe pas

La chair animale est tendre et relativement facile à
digérer pour un carnivore grâce à ses sucs gastriques*.
Pour les végétaux, qui sont plus coriaces, c'est une autre
affaire. À l'instar des sauropodes* et des oiseaux actuels,
les théropodes herbivores avaient une poche dans le
ventre, le gésier*, qu'ils remplissaient de cailloux après
les avoir avalés. Ces "gastrolithes", que l'on retrouve
fréquemment parmi les os fossilisés des dinosaures,
étaient frottés les uns contre les autres par les muscles
de l'estomac et les végétaux engloutis étaient broyés
finement au milieu de ces pierres. Ces petits cailloux sont
faciles à identifier car ils sont polis à force d'être utilisés.

⬛ Les ornithomimidés

Avec leurs très longues jambes, leur morphologie
fine et élancée et leur grand bec dépourvu de dents, les
ornithomimidés ("qui imitent les oiseaux") comptent de
nombreuses espèces en Amérique du Nord, en Asie et
peut-être une en Australie. Ces théropodes étaient les plus
rapides coureurs du Crétacé, pouvant dépasser les
60 km/h. La découverte de gastrolithes dans leur estomac
indique que ces dinosaures herbivores arrachaient les
végétaux avec leur bec et les avalaient directement.

*Il existe aujourd'hui un mammifère végétarien appartenant
à l'ordre des carnivores : le grand panda qui se nourrit presque
exclusivement de pousses de bambou, bien qu'il puisse aussi manger
des petits rongeurs et des poissons.*

*Certains paléontologues pensent que les thérizinosauridés
n'utilisaient pas leurs griffes pour saisir et couper les branches,
mais plutôt pour ouvrir les termitières et fourmilières et en dévorer
leurs occupants.*

Therizinosaurus

Étymologie : reptile à faux

Âge : Crétacé supérieur, 83 à 65 millions d'années

Lieu : Mongolie

Ce géant de plus de 10 m de long avait les mains armées de griffes de 70 cm de long. Son long cou lui permettait d'atteindre les hautes branches des arbres qu'il grignotait en s'aidant de ses immenses bras. Ses griffes lui servaient certainement à couper les branchages mais pouvaient également constituer une terrible arme de dissuasion pour les éventuels prédateurs qui se seraient risqués à les attaquer *(voir p. 34-35)*.

Dents de Therizinosaurus *en forme de feuilles.*

Bras de Therizinosaurus.

Griffe de Therizinosaurus.

Les thérizinosauridés

Ces étonnants théropodes du Crétacé possédaient un très long cou terminé par une petite tête, plus courte que celle des autres théropodes, de longs bras et des griffes démesurément grandes *(voir DVD, Sur la trace des dinosaures, chap. 1 et 4)*. De nombreuses particularités trahissent leur régime végétarien : la présence de gastrolithes dans leur estomac, des petites dents en forme de feuilles et d'immenses griffes qu'ils utilisaient pour saisir et couper les branches. La découverte en 1999 de *Beipiaosaurus* du Crétacé inférieur de Chine, couvert de longs filaments ressemblant au duvet des oiseaux, suggère que les différentes espèces de thérizinosauridés en étaient recouverts.

La plupart des espèces d'ornithomimidés ont été baptisées en combinant un oiseau et le suffixe mimus comme Strutiomimus (qui mime l'autruche), Pelecanimimus (qui imite le pélican), Dromiceiomimus (l'émeu), etc.

Thérizinosauridés et ornithomimidés sont deux groupes de théropodes qui sont apparus probablement au Crétacé dans l'un des continents laurasiens et qui se sont disséminés de part et d'autre de la Laurasia. On n'en a, pour l'instant, trouvé aucun dans le Gondwana.

Les abelisauridés

Alors qu'à la fin du Crétacé, les tyrannosauridés dominaient les continents de Laurasia, le Gondwana était peuplé de grands théropodes tout aussi terrifiants, les abelisauridés. Certains d'entre eux, les carnotaurinés, possédaient des cornes sur le crâne.

Carnotaurus

Étymologie : taureau carnivore
Âge : Milieu du Crétacé, 108 à 90 millions d'années
Lieu : Argentine
Exemple de proies : *Chubutisaurus*

Baptisé "taureau carnivore" à cause de ses excroissances osseuses au-dessus des yeux, ce théropode de 7 m de long avait un aspect vraiment effrayant. Dans le film *Dinosaures*, les productions Walt Disney n'ont pas hésité à en faire les abominables "carnataures", les méchants théropodes qui chassaient les *Iguanodon*. Dans la réalité, les *Carnotaurus* n'auraient jamais pu s'attaquer aux *Iguanodon* qui ne vivaient ni sur le même continent ni à la même époque !

Abelisaurus

Étymologie : reptile d'Abel (paléontologue argentin)
Âge : Crétacé supérieur, 72 à 65 millions d'années
Lieu : Argentine
Exemples de proies : *Antarctosaurus, Loricosaurus*

Seul son crâne de 90 cm de long est connu. On estime tout de même que ce théropode devait atteindre les 9 m de long. Comme tous les autres abelisauridés, il possédait probablement des membres antérieurs très courts et une allure générale robuste rappelant son cousin d'Amérique du Nord, *Tyrannosaurus rex*.

À quoi pouvaient bien servir les cornes des abelisauridés ? D'après certains paléontologues, ces cornes seraient des ornements qui n'auraient aucune fonction de défense, mais permettraient de distinguer les mâles des femelles.

Les paléontologues ont une très bonne idée de l'allure générale de Carnotaurus. Ils ont en effet découvert autour d'un squelette quasiment complet l'empreinte de la peau de l'animal imprimée dans le sédiment.

Majungatholus

Étymologie : le dôme de Majunga (région à Madagascar)
Âge : Crétacé supérieur, 70 millions d'années
Lieu : Madagascar
Exemple de proies : *Titanosaurus*
Jusqu'à très récemment, les paléontologues pensaient que ce théropode de 8 à 9 m de long était un pachycéphalosauridé, car ils n'avaient trouvé que l'arrière d'un crâne terminé par une sorte de dôme d'os épais. La découverte d'un crâne entier avoisinant 1 m de long a finalement montré qu'il s'agissait d'un théropode, et même du plus grand prédateur ayant vécu à Madagascar à cette époque.

Masiakasaurus

Étymologie : reptile violent
Âge : Crétacé supérieur, 70 millions d'années
Lieu : Madagascar
Exemples de proies : insectes
Ce petit abelisauridé d'environ 1,80 m de long avait une particularité qui n'a jamais été observée chez d'autres dinosaures. Ses dents de devant, en forme de fer de lance, étaient orientées à l'horizontale contrairement aux autres théropodes qui les ont verticales. Une telle disposition suggère qu'il se nourrissait d'insectes qu'il saisissait du bout des dents.

Mâchoire d'abelisauridé trouvée dans le sud de la France.

DE TOUT PETITS BRAS

À l'instar des tyrannosauridés, les abelisauridés possédaient des membres antérieurs très réduits par rapport à la taille de leur corps. Leurs petites pattes terminées par trois ou quatre doigts, contre deux seulement chez les tyrannosauridés, étaient tellement courtes qu'elles ne pouvaient atteindre leur gueule. Pour chasser ou dépecer leurs victimes, ils se servaient de leur énorme et robuste gueule comme le font les crocodiles actuels.

Tarascosaurus

Étymologie : reptile de Tarasque
Âge : Crétacé supérieur, 70 millions d'années
Lieu : France
Exemples de proies : *Rhabdodon, Ampelosaurus*
Bien qu'appartenant à un groupe de théropodes connus seulement sur les continents du Gondwana, *Tarascosaurus*, avec ses 10 m de long, était le plus grand théropode de France, située alors en Laurasia. Doté de puissantes mâchoires garnies de dents tranchantes, il chassait les ornithopodes *Rhabdodon* ou les sauropodes* titanosauridés qui vivaient dans le sud de la France.

Dans le livre Le Monde perdu *de Michael Crichton, Carnotaurus a la faculté de changer de couleur à la manière des caméléons. Cette capacité n'a évidemment aucun fondement scientifique et paraît peu probable pour un animal aussi gros.*

Majungatholus *était cannibale. La découverte de traces de morsures sur des os de ce théropode ont été formellement identifiées comme ayant été faites par d'autres* Majungatholus.

Les crocodiles géants du Sahara

Les abords des rivières africaines étaient des pièges mortels au Crétacé,
car en plus du danger que constituaient les immenses théropodes carcharodontosauridés
et spinosauridés, un autre prédateur d'origine aquatique guettait les imprudents dinosaures
qui venaient s'abreuver près des cours d'eau : le gigantesque Sarcosuchus imperator !

Un squelette complet de Sarcosuchus a été découvert en 2000 au Niger par une équipe du National Geographic (fondation américaine) qui a largement popularisé ce crocodile en lui donnant notamment le surnom de "Supercroco".

En étudiant les cernes de croissance des os de Sarcosuchus qui se forment tous les ans comme celles des crocodiles actuels, les paléontologues ont pu déterminer que "l'empereur des crocodiles" pouvait vivre plus de 40 ans, peut-être 50 ou 60 !

Une tête de pêcheur...

Sarcosuchus partageait une caractéristique avec les prédateurs piscivores : un museau étroit et allongé, garni de dents coniques et pointues, espacées et couvrant toutes les mâchoires. Les gavials, crocodiles piscivores d'Inde, les dauphins ou encore les ichthyosaures (*voir p 62-63*) ont des museaux identiques qui facilitent la saisie des poissons. Un tel dispositif permet au prédateur de saisir rapidement des proies mobiles en les harponnant avec ses longues dents en pointe. La victime est ensuite avalée d'un rapide mouvement de tête.

... mais un chasseur opportuniste*

Le poisson à lui seul n'aurait probablement pas suffi à nourrir des animaux aussi gros. Les paléontologues supposent que *Sarchosuchus* chassait à l'affût les dinosaures qui venaient s'abreuver sur son territoire, tels que les iguanodontidés *Ouranosaurus*. Des squelettes de ce dernier ont en effet été retrouvés mêlés à ceux de *Sarchosuchus*, laissant à penser que l'herbivore *Ouranosaurus* était l'une des proies du crocodile géant. Les grands sauropodes* ou encore certains théropodes de taille modeste devaient également faire partie du menu de *Sarcosuchus*.

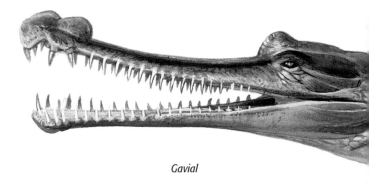

Gavial

Dauphin

Ichthyosaure

Sarcosuchus imperator

Étymologie : empereur des crocodiles charnus
Âge : Crétacé inférieur, 121 à 93 millions d'années
Lieu : Afrique du Nord
Découvert au Niger en 1964 par une équipe française, ce monstrueux crocodilien au museau allongé mesurait plus de 10 m de long pour environ 8 à 10 tonnes avec un crâne faisant à lui seul 1,80 m. Ses mâchoires comptaient plus de cent dents et son museau était terminé par une sorte de bulbe osseux similaire à celui du gavial actuel. Malgré sa ressemblance avec les autres crocodiles, *Sarcosuchus* n'était en fait qu'un proche cousin des vrais crocodiles.

Les vrais crocodiliens, appelés eusuchiens, sont connus dès le Crétacé supérieur (90 millions d'années) avec la naissance de deux des familles actuelles : les Crocodilidae et les Alligatoridae. La troisième famille, les Gavialidae, est apparue à l'Éocène, il y a environ 40 millions d'années.

Des crocodiliens modernes, Deinosuchus était l'un des plus gros ancêtres. Seul son crâne de 2 m a été retrouvé, mais sa taille est estimée à 12 m de long. Ce géant vivait en Amérique du Nord à la fin du Crétacé et a disparu en même temps que les dinosaures, il y a 65 millions d'années.

Les grands reptiles marins

Les océans du Mésozoïque*, qui couvraient plus de la moitié de la Terre, étaient peuplés par des gigantesques reptiles appartenant à des groupes très variés. Ces prédateurs géants se disputaient la suprématie du monde du silence...

Les ichthyosaures

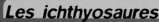

Ces étonnants reptiles marins sont apparus il y a environ 245 millions d'années pour s'éteindre 155 millions d'années plus tard. Avec une allure proche de celle des dauphins actuels, ils atteignaient des tailles de 5 à 9 m de long. Parce que l'on trouve des fossiles d'ichthyosaures un peu partout dans le monde, on sait qu'ils vivaient dans tous les océans. Leur museau effilé, portant de nombreuses et fines dents coniques, indique que leur alimentation était principalement constituée de poissons. La morphologie de leurs quatre membres trahit une origine terrestre : à l'instar des mammifères marins actuels, ils devaient remonter à la surface pour respirer.

Les plésiosaures

Contrairement aux ichthyosaures, les plésiosaures possédaient un cou très allongé et flexible terminé par une petite tête aux mâchoires garnies d'énormes crocs pointés en avant. Leurs tailles variaient de 3 à 15 m de long en fonction des espèces. Ils étaient des chasseurs opportunistes* qui se nourrissaient de poissons, de céphalopodes (ammonites et bélemnites) et autres invertébrés*. Les chercheurs pensent qu'ils sortaient de l'eau et rampaient sur les plages pour pondre à la manière des tortues marines actuelles. Les plésiosaures ont vécu du Jurassique inférieur à la fin du Crétacé entre 200 et 65 millions d'années.

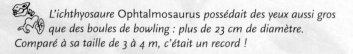
L'ichthyosaure Ophtalmosaurus possédait des yeux aussi gros que des boules de bowling : plus de 23 cm de diamètre. Comparé à sa taille de 3 à 4 m, c'était un record !

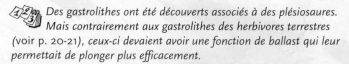
Des gastrolithes ont été découverts associés à des plésiosaures. Mais contrairement aux gastrolithes des herbivores terrestres (voir p. 20-21), ceux-ci devaient avoir une fonction de ballast qui leur permettait de plonger plus efficacement.

VOIR LES ANIMAUX

Les pliosaures

L'espèce la plus emblématique de ce groupe : *Liopleurodon (voir DVD, Les monstres du fond des mers, chap. 3)*. Jeune, il mesurait 18 m de long, dont 4 m rien que pour le crâne ! Adulte, il atteignait une longueur de 25 m pour environ 100 tonnes, soit la taille d'un petit chalutier ! Ce pliosaure n'avait pas de "vrai" rival dans les mers du Jurassique si ce n'est… un autre *Liopleurodon* ! Très rapide malgré sa taille gigantesque, il affectionnait les petits ichthyosaures dont il ne faisait qu'une bouchée. Preuve de l'extraordinaire voracité de cette espèce : des traces de morsures imprimées dans les os des nageoires de plésiosaures et des squelettes d'ichthyosaures à demi dévorés…

Les crocodiles marins

Les thalattosuchiens étaient un groupe de crocodiliens adaptés à la vie marine dont la particularité était d'avoir les membres et la queue transformés en nageoires. Ils ont vécu du début du Jurassique au début du Crétacé et mangeaient probablement des poissons qu'ils attrapaient à l'aide de leur museau allongé, garni de nombreuses dents (*voir DVD, Les monstres du fond des mers, chap. 2*).

Les mosasaures

Ils formaient un autre groupe de reptiles marins proche des serpents et lézards terrestres. Ils ont eu une courte existence débutant au moment du Crétacé supérieur pour se terminer il y a 65 millions d'années lors de la crise Crétacé-Tertiaire* (*voir DVD, Les monstres du fond des mers, chap. 5*). Ces grands prédateurs, dont la taille approchait les 18 m de long, s'attaquaient aux poissons, ammonites, tortues et mollusques. Ils utilisaient notamment leurs grosses dents coniques et épaisses pour briser les coquilles des ammonites et dévorer l'animal, resté ainsi sans protection.

Il est possible que les pliosaures, du fait de leur très grande taille, étaient ovovivipares (ils pondent des œufs qui se développent dans le ventre de la mère), ou vivipares (le petit se développe directement dans le corps de la mère) comme semblent l'avoir été les ichthyosaures.

Un étrange crocodile marin ayant vécu à la fin du Jurassique a été récemment trouvé en Argentine. L'étonnante particularité de *Dakosaurus andiniensis*, surnommé par ses découvreurs "Godzilla", était d'avoir un crâne ressemblant plus à celui d'un théropode qu'à celui d'un crocodile.

Un enfer au Crétacé

Les reptiles marins n'étaient pas les seuls à écumer les océans. D'autres groupes comme les requins, les poissons osseux ou encore les invertébrés* comptaient dans leurs rangs des monstres capables de rivaliser avec les grands reptiles. Les océans du Mésozoïque* étaient les théâtres de drames quotidiens...

Si les grands prédateurs marins d'aujourd'hui ne comptent plus de reptiles, il existe toujours des requins et des céphalopodes, tel le calmar géant des abysses. Depuis la fin du Crétacé, les reptiles marins ont été remplacés par les mammifères : dauphins, épaulards, cachalots...

On raconte que les ammonites étaient des serpents qui auraient été pétrifiés à la suite des prières de sainte Hilda qui voulait bâtir une église dans un lieu infesté de serpents. Pour perpétuer cette histoire, les villageois ont vendu des ammonites sur lesquelles une tête de serpent était sculptée.

🔵 Requins

Les requins, grands prédateurs d'aujourd'hui, étaient très abondants au Mésozoïque, mais de taille plus modeste que les reptiles marins avec lesquels ils devaient cohabiter. Le groupe des hybodontidés (*Hybodus* ❶) était l'espèce dominante et occupait de nombreux milieux. Ils furent cependant progressivement supplantés par les requins modernes avant de disparaître à la fin du Crétacé (*voir DVD, Les monstres du fond des mers, chap.* 1).

🔵 Ammonites et bélemnites

Parmi les invertébrés, il existait des groupes de prédateurs qui pullulaient dans les mers : les ammonites et les bélemnites, classées dans les céphalopodes (groupe qui contient aujourd'hui les poulpes, seiches, calmars ou nautiles). De très grosses coquilles enroulées d'ammonites, pouvant atteindre 1,50 m de diamètre, ont été trouvées dans les sédiments. De tels monstres s'attaquaient à de nombreux poissons ou petits reptiles qu'ils capturaient avec leurs tentacules et déchiquetaient à l'aide de leurs puissants becs cornés. Ils étaient cependant une proie de choix pour de nombreux reptiles marins qui brisaient leur coquille à grands coups de dents (*voir p.* 62-63).

🔵 *Xiphactinus*

Ce poisson osseux ❷ atteignant les 6 m de long était un monstrueux prédateur (*voir DVD, Les monstres du fond des mers, chap.* 4). Son énorme gueule, orientée vers le haut et remplie de longues dents pointues, lui permettait de s'attaquer aussi bien aux autres créatures aquatiques (poissons, reptiles) qu'à certains oiseaux marins comme *Hesperornis* ❸ qui flottaient à la surface. Ses puissantes nageoires en faisaient un redoutable nageur capable de rattraper la plupart de ses proies ou de distancer ses prédateurs potentiels. Ce monstre vivait à la fin du Crétacé entre 87 et 65 millions d'années.

↖ Le requin Hybodus *vient d'attaquer brutalement* Plotosaurus, *un mosasaure. Pendant qu'*Elasmosaurus *poursuit des bélemnites, un crocodile marin s'apprête à dévorer des ammonites. Et des* Xiphactinus *passent au loin…*

Les nageoires puissantes de Xiphactinus lui permettaient d'atteindre une vitesse de 60 km/h selon certains paléontologues. Aujourd'hui, le poisson le plus rapide est l'espadon voilier pouvant nager à 130 km/h. Le dauphin ne dépasse guère les 45 km/h.

Le plus grand requin ayant existé est le Carcharodon megalodon. D'une taille de 15 m de long avec une ouverture de mâchoires de 2 m, il vivait au Miocène, il y a environ 20 millions d'années. De ce requin, on n'a trouvé que ses dents qui mesuraient jusqu'à 15 cm de long.

Les terreurs des cieux

Avec les ptérosaures, les reptiles sont les premiers vertébrés* à avoir conquis le milieu aérien, il y a environ 215 millions d'années. Ces prédateurs ont dominé les cieux une grande partie du Mésozoïque* avant d'être sérieusement concurrencés par les oiseaux.

❶ Pterodactylus
❷ Pterodaustro
❸ Anhanguera
❹ Tropegnathus
❺ Dorygnathus

Les ptérosaures avaient des os creux et fins, ce qui leur permettait d'alléger le poids de leur corps et d'être plus efficaces en vol. À cause de cette finesse, leurs os, extrêmement fragiles, sont rarement bien conservés lors de la fossilisation.

L'étonnante similitude entre le crâne de Pterodaustro et celui des flamants roses a conduit le paléontologue américain Robert T. Bakker à penser que ce ptérodactyle pouvait également être rose. Il en a d'ailleurs fait le titre de l'un de ses livres, Le Ptérodactyle rose.

Les rhamphorhynchoïdés

Ce groupe de ptérosaures, apparu au Trias supérieur, il y a environ 230 millions d'années, s'est éteint à la fin du Jurassique. Ils possédaient un crâne parfois très allongé et garni de dents pointues orientées vers l'avant pour saisir leurs proies au vol. La principale caractéristique des rhamphorhynchoïdés était leur grande queue terminée par une membrane de chair en "losange" qu'ils utilisaient pour s'orienter pendant le vol. Généralement de petite taille (les plus grands du type *Rhamphorhynchus* atteignaient toutefois les 1,75 m d'envergure*), les rhamphorhynchoïdés vivaient près des côtes et se nourrissaient essentiellement de poissons qu'ils attrapaient au vol.

UNE AILE TENDUE PAR UN SEUL DOIGT

L'aile des oiseaux, des ptérosaures et des chauves-souris est le résultat de nombreuses modifications du squelette des membres antérieurs. Chez les oiseaux ❸, la plume constitue la majeure partie de la surface de l'aile, et plusieurs os de la main sont soudés les uns aux autres pour solidifier l'aile. Chez la chauve-souris ❶, une membrane de peau est tendue autour des différents os du bras et des doigts très allongés. Les ptérosaures ❷ ont également une membrane de peau tendue, mais seul le quatrième doigt de la main, excessivement allongé, tend l'aile.

Les ptérodactyloïdés

L'autre groupe de ptérosaures, les ptérodactyloïdés, sont apparus bien après les rhamphorhynchoïdés, à la fin du Jurassique, il y a 200 millions d'années. Ils possédaient une queue extrêmement courte qui dépassait à peine de leur corps et n'avait aucune fonction pour le vol. Des espèces, comme *Pteranodon*, ne possédaient pas de dents sur leurs mâchoires, mais un long bec corné. Certains ptérodactyloïdés avaient des extensions osseuses à l'arrière du crâne qui leur servaient de gouvernail, ou encore des ornementations permettant de distinguer les mâles des femelles. Les ptérodactyloïdés ont donné des espèces de toutes dimensions : des plus petits comme *Pterodactylus elegans* de la taille d'une grosse mésange, aux plus grands animaux ayant jamais volé, de la dimension d'un avion de tourisme (*voir p. 68-69*).

D'excellents pêcheurs

La découverte de contenus d'estomac fossilisés et la forme de leurs mâchoires suggèrent que la plupart des ptérosaures se nourrissaient de poissons et de crustacés. Leur technique de pêche : voler en rase-mottes au-dessus de l'eau et saisir avec les mâchoires les poissons nageant sous la surface. Pour une prise plus efficace, les rhamphorhynchoïdés avaient leurs dents pointées vers l'avant en guise de harpon. Chez d'autres ptérosaures comme *Anhanguera* ou *Tropeognathus*, les mâchoires se terminaient par des crêtes en forme de quilles de bateau leur permettant de voler avec la tête en partie dans l'eau sans être freinés.

Des ptérosaures à sang chaud

Les paléontologues pensent que les ptérosaures, malgré leur statut de reptile, étaient des animaux à sang chaud, car ils devaient consommer beaucoup d'énergie pour pratiquer le vol actif. Au Kazakhstan, des ptérosaures découverts fossilisés dans des conditions exceptionnelles ont montré qu'ils étaient recouverts de poils. Ces poils constituaient une sorte de fourrure qui isolait leur corps et le maintenait à une température élevée nécessaire pour voler. Il est fort probable que tous les ptérosaures étaient ainsi "poilus". Très peu cependant ont été retrouvés, car, tout comme tous les tissus "mous", les poils se conservent mal lors de la fossilisation.

Le rhamphorhynchoïde Peteinosaurus, de 60 cm d'envergure, vivait à la fin du Trias, au bord de la Téthys. Avec Eudimorphodon, il est l'un des plus anciens ptérosaures connus. Il avait des ailes courtes et ses mâchoires étaient pourvues de longs crocs en avant suggérant qu'il attrapait des insectes en vol.

En 2004, on découvre, en Chine, des œufs fossilisés contenant des embryons de ptérosaures. Le développement des embryons suggère qu'ils étaient capables de voler et se nourrir peu après l'éclosion de l'œuf, contrairement aux oisillons qui ne volent et ne sont indépendants que plusieurs semaines après.

Les ptérosaures géants

C'est au cours du Crétacé que les ptérosaures ont compté dans leurs rangs les animaux les plus gigantesques ayant volé. Avec plus de 10 m d'envergure* pour certains, ces monstres obscurcissaient les cieux d'Europe et d'Amérique, et terrorisaient probablement les petits dinosaures sans pour autant constituer une réelle menace. Ils n'étaient, en effet, pas adaptés à la chasse de proies terrestres.

Quetzalcoatlus

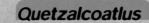

Étymologie : serpent à plumes (dieu aztèque)
Âge : Crétacé supérieur, entre 84 et 65 millions d'années
Lieu : Amérique du Nord

D'une taille comparable à *Hatzegopteryx*, ce gigantesque ptérosaure a été découvert, vers 1970 au Texas, dans des couches géologiques vieilles de 70 millions d'années. Aucun indice ne permet pour le moment de connaître le régime alimentaire de cette créature au cou sans fin et aux mâchoires dépourvues de dents. Certains pensent que *Quetzalcoatlus* se nourrissait de charognes, d'autres qu'il mangeait des mollusques et des crustacés qu'il cherchait dans les étendues de vase ou les cours d'eau à l'aide de son long bec.

Au Jurassique, les ptérosaures étaient plutôt de petite taille, puis ils sont devenus géants au Crétacé, alors que les oiseaux, assez menus, se diversifiaient. Une compétition entre ces deux groupes aurait-elle forcé les ptérosaures à modifier leurs modes de vie en devenant plus imposants ?

La question du mode de décollage des ptérosaures géants divise les chercheurs. Pour certains, ils étaient capables de décoller par leurs propres moyens, soit en courant, soit en battant des ailes. Pour d'autres, ces reptiles étaient contraints de se jeter du haut d'une falaise pour s'envoler.

Hatzegopteryx

Étymologie : l'aile du Hatzeg (région de Roumanie)

Âge : Crétacé supérieur, il y a 65 millions d'années

Lieu : Roumanie

Les restes fossiles sont rares, mais suffisants pour se rendre compte qu'*Hatzegopteryx* était un géant : 12 m d'envergure avec un crâne robuste et large de 3 m de long ! Afin de pouvoir prendre son envol, ce ptérosaure devait avoir les os à la fois résistants et légers : résistants car le battement des ailes et les différentes tensions endurées pendant le vol étaient très fortes ; légers pour permettre au géant de s'élever dans les airs sans trop de difficulté.

Pteranodon

Étymologie : ailé et sans dents

Âge : Crétacé supérieur, entre 110 et 80 millions d'années

Lieu : Amérique du Nord

Les deux principales espèces de *Pteranodon*, *Pteranodon ingens* et *Pteranodon sternbergi* avaient respectivement une envergure de 7 m et 9 m. Malgré leur gigantesque taille, leur poids total ne dépassait pas 20 kg chacun. La tête de ces ptérosaures était prolongée par un bec pointu sans dents, et surmontée d'une grande crête qui faisait contrepoids et leur permettait de s'orienter lors du vol. Le crâne de *Pteranodon ingens* mesurait à lui seul 1,80 m de long. Tous deux se nourrissaient probablement de poissons qu'ils attrapaient à l'aide de leur bec en volant en rase-mottes au-dessus de la surface de l'eau. Ils passaient certainement la majeure partie de leur temps à planer, tels des albatros, et profitaient des courants d'air chaud pour gagner de l'altitude.

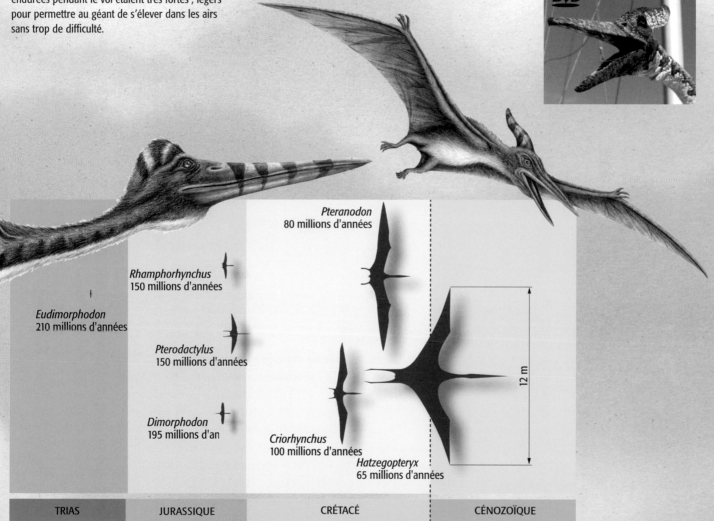

Pteranodon
80 millions d'années

Rhamphorhynchus
150 millions d'années

Eudimorphodon
210 millions d'années

Pterodactylus
150 millions d'années

Dimorphodon
195 millions d'an

Criorhynchus
100 millions d'années

Hatzegopteryx
65 millions d'années

12 m

TRIAS	JURASSIQUE	CRÉTACÉ	CÉNOZOÏQUE

La question du mode de déplacement des ptérosaures au sol (bipède* ou quadrupède*) est aujourd'hui résolue depuis la découverte, dans une carrière près de Cahors en France, d'empreintes de pas de plusieurs espèces de ptérosaures, toutes quadrupèdes.

Les plus petits ptérosaures trouvés à ce jour sont Anurognathus (Jurassique supérieur de Bavière) et Batrachognathus (Jurassique supérieur du Kazakhstan). Tous deux mesurent 10 cm de long avec une envergure de 30 et 50 cm, ce qui correspond à la taille d'un moineau aux ailes plus longues.

Un prédateur insoupçonné

La récente découverte en Chine des restes fossiles d'un prédateur dévoreur de dinosaures vient de bouleverser les idées reçues concernant la domination des reptiles dans les chaînes alimentaires*. Ce petit carnivore était en effet un mammifère...

Le reptile mammalien Dimetrodon possédait un grand voile de peau sur le dos tendu par ses vertèbres à longues épines qu'il utilisait pour réguler sa température.

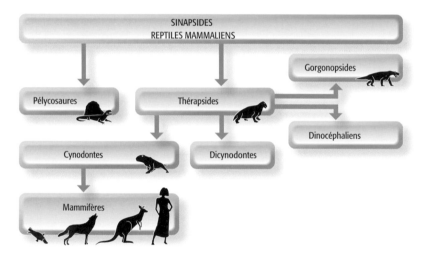

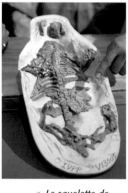

Le squelette de Repenomanus, avec montrée du doigt, la roche contenant les os de petits dinosaures.

La longue histoire des mammifères

Contrairement à ce que l'on pourrait penser, les mammifères ne sont pas apparus après l'extinction des dinosaures, mais durant le Trias supérieur (il y a environ 220 millions d'années), soit peu de temps après l'apparition des premiers dinosaures. Leurs ancêtres, les reptiles mammaliens, étaient présents dès la fin du Carbonifère, il y a environ 300 millions d'années. Puis ce fut le tour des thérapsides. C'étaient des animaux mi-reptiles mi-mammifères dont certains, les cynodontes, étaient recouverts de poils et avaient des dents qui rappelaient celles des chiens. Certains de ces thérapsides ont évolué en mammifères. Au cours du Mésozoïque*, ces derniers n'ont toutefois pas connu le même essor que les dinosaures, et sont restés de taille très modeste, ne dépassant guère les 10 cm de long. Ce n'est qu'au Cénozoïque* qu'ils vont réellement se diversifier, occuper de nombreuses niches écologiques avec des mammifères terrestres, aquatiques (cétacés), volants (chauves-souris) ou creusant des galeries (taupes). C'est également à partir de cette période que les mammifères deviennent nettement plus grands.

VOIR LES ANIMAUX

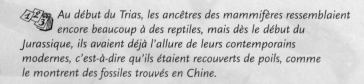

Au début du Trias, les ancêtres des mammifères ressemblaient encore beaucoup à des reptiles, mais dès le début du Jurassique, ils avaient déjà l'allure de leurs contemporains modernes, c'est-à-dire qu'ils étaient recouverts de poils, comme le montrent des fossiles trouvés en Chine.

Les restes de mammifères sont vraiment difficiles à trouver car ils sont très petits et extrêmement rares. Souvent, les paléontologues doivent tamiser des tonnes de sédiments avant de découvrir une dent.

LES MAMMIFÈRES

Les mammifères modernes sont divisés en trois groupes : les monotrèmes, les marsupiaux et les placentaires qui diffèrent notamment par leur mode de reproduction. Les monotrèmes (ornithorynques) pondent des œufs bien qu'ils allaitent leurs petits ; les marsupiaux (kangourous), donnent naissance à un petit qui termine son développement dans une poche située sur le ventre de la mère ; les placentaires, enfin, qui constituent l'essentiel des mammifères, gardent leurs petits dans l'utérus jusqu'à ce qu'ils atteignent un stade de développement suffisant pour naître. Ces trois groupes sont les témoins de trois stades dans l'évolution des mammifères (allant du stade monotrème au stade marsupial puis placentaire) qui ont eu lieu à l'époque des dinosaures.

Repenomamus giganticus

Comparé aux autres mammifères du Crétacé qui n'étaient guère plus gros que des musaraignes, *Repenomamus* était un géant : 1 m de long, un crâne de 16 cm pour une masse comprise entre 12 et 14 kg, soit approximativement la corpulence d'un renard ! Malgré son étymologie trompeuse (reptile-mammifère), *Repenomamus* n'était pas un ancêtre des mammifères, comme les reptiles mammaliens le sont, mais un vrai mammifère qui vivait il y a environ 130 millions d'années dans les forêts luxuriantes du nord de la Chine, là où ont été également découverts des dinosaures à plumes. *Repenomamus* possédait de puissantes mâchoires garnies de solides crocs et des dents postérieures pointues et tranchantes indiquant qu'il mangeait de la viande.

Du dinosaure au menu

En 2005, des paléontologues chinois découvrent un squelette complet fossilisé de *Repenomamus robustus*, un cousin de *Repenomamus giganticus* dont l'estomac contenait son dernier repas. Les restes, à moitié digérés, sont les os d'un petit dinosaure herbivore, un jeune *Psittacosaurus* que le mammifère a démembré avec ses dents tranchantes avant de l'avaler. Les mammifères au Mésozoïque n'étaient donc pas seulement herbivores, insectivores ou mangeurs d'œufs comme le supposaient les paléontologues, mais également de féroces prédateurs.

Auparavant, les scientifiques pensaient que les dinosaures et autres reptiles avaient supplanté les mammifères à cause du climat chaud qui régnait sur Terre et qui les favorisait. Depuis que le statut "sang froid" des dinosaures est remis en doute, cette hypothèse l'est également.

Pour les paléontologues, il est facile de distinguer une dent de reptile d'une dent de mammifère. Celles du premier sont de formes simples et identiques sur toute la mâchoire. Quant au mammifère, il a des dents de morphologie complexe et différente en fonction de leur position sur la mâchoire.

La chute des géants

Il y a 65 millions d'années, une multitude d'espèces animales et végétales ont disparu à la suite d'une catastrophe planétaire. Ce cataclysme n'a épargné ni les gigantesques dinosaures ni les centaines d'autres espèces connues à ce jour par les paléontologues. Quelles sont alors les causes de cette extinction ? Pourquoi certaines espèces ont-elles survécu ?

Hypothèse extraterrestre

En 1978, une équipe de scientifiques découvre en Italie de l'iridium en grandes concentrations dans une couche géologique correspondant exactement à la limite entre la fin du Mésozoïque* et le début du Cénozoïque*, il y a 65 millions d'années. L'iridium est un métal extrêmement rare dans la croûte terrestre, mais très abondant dans les météorites. Peu de temps après, cette quantité "anormale" d'iridium est retrouvée dans de nombreuses régions du monde, ainsi qu'un immense cratère appelé Chicxulub, de 200 km de diamètre, dans la péninsule du Yucatan au Mexique. Ces divers indices indiquent qu'une monstrueuse météorite s'est écrasée sur Terre il y a 65 millions d'années et aurait été, selon la plupart des scientifiques, la cause principale de la crise biologique connue sous le nom de crise K/T*.

D'autres hypothèses plus farfelues expliquent la fin des dinosaures : le bouleversement des climats dû à la chute brutale du niveau des océans ; un changement de la gravité terrestre qui aurait tellement alourdi les dinosaures qu'ils n'auraient plus pu supporter leur poids ; une épidémie mortelle...

Au Mexique, le grand cratère Chicxulub, daté à 65 millions d'années, n'est pas visible à l'œil nu car il a été recouvert de sédiments. Il a été détecté à l'aide d'appareils permettant de visualiser certaines anomalies dans l'écorce terrestre.

Hypothèse terrestre

Une autre hypothèse peut également expliquer la catastrophe de la fin du Crétacé. Il y a 65 millions d'années, en Inde, des volcans sont entrés en activité et ont émis d'importantes quantités de gaz dans l'atmosphère. Ces gaz auraient profondément modifié les climats terrestres et les animaux n'ayant pas pu s'adapter à ces nouvelles conditions auraient disparu. L'étendue des coulées de lave était immense, car elles recouvraient environ l'équivalent de la surface de la France sur plusieurs centaines de mètres d'épaisseur !

Un scénario possible

Si tous les scientifiques (géologues, paléontologues, physiciens, chimistes) ne s'entendent pas sur la cause de l'extinction des dinosaures, la plupart d'entre eux semblent valider le scénario suivant : il y a 65 millions d'années, la violente chute d'une météorite de 10 km de diamètre a soulevé dans l'atmosphère d'énormes quantités de poussières. Ces particules ont obscurci le ciel et bloqué les rayons du soleil plusieurs mois durant. Les plantes, privées de lumière et de chaleur, ont été décimées, ne survivant que sous forme de graines dans le sol. La chaîne alimentaire* s'est alors rompue : les animaux herbivores, dont les dinosaures, se sont éteints, faute de nourriture, puis ce fut le tour des carnivores qui disparurent en quelques mois voire quelques semaines seulement.

Victimes et survivants

La crise de la fin du Crétacé fut l'une des cinq plus importantes crises biologiques que la Terre ait connues. Tous les dinosaures et ptérosaures ainsi que de nombreuses familles d'oiseaux et de mammifères ont disparu. En revanche, les crocodiles, tortues, lézards et serpents, pour ne citer que les vertébrés*, ne semblent pas avoir été très affectés par cette crise. Dans les océans, les reptiles marins, plésiosaures et mosasaures, les ammonites, les bélemnites ainsi que plusieurs familles de poissons ont péri. Au total, ce sont 70 % des espèces répertoriées par les paléontologues qui ont disparu brutalement.

DISPARUS
SURVIVANTS

Certains se demanderont pourquoi les plantes n'ont pas souffert de la crise alors qu'elles ont été les premières décimées par l'obscurcissement du ciel. Les graines qu'elles avaient produites ont attendu que le climat soit à nouveau meilleur pour produire de nouvelles plantes.

Les paléontologues se demandent encore pourquoi les ptérosaures, et non les oiseaux, ont disparu lors de la crise K/T, alors que tous deux étaient des prédateurs volants, et pourquoi les petits mammifères insectivores ont survécu aux petits théropodes alors qu'ils mangeaient sensiblement la même chose... ?

Dans le dessin animé Toy Story, *le T. rex est loin de briller par son intelligence !*

La "Dinomania"

Ils ont régné sur Terre pendant plus de 185 millions d'années avant de disparaître brutalement. L'étonnant succès de ces créatures d'un autre âge demeure aujourd'hui encore un mystère pour les scientifiques qui continuent de découvrir chaque année des dizaines de nouvelles espèces.

Sur cette couverture de magazine datant de 1926 est illustrée une scène de Voyage au centre de la Terre, *roman écrit par Jules Verne.*

La littérature

La découverte et la reconstitution des premiers dinosaures au XIXᵉ siècle ont inspiré nombre d'écrivains. Dans *Le Monde Perdu* de Sir Conan Doyle, publié en 1912, une équipe d'explorateurs part dans la forêt amazonienne à la recherche de dinosaures vivants. Au cours de leur périple, ils sont victimes d'un monstrueux théropode, *Megalosaurus*. Embarqués sur leur radeau, les trois héros de *Voyage au centre de la Terre* (Jules Verne) assistent, tétanisés par la peur, à la lutte acharnée entre un ichthyosaure et un plésiosaure, qui sera fatale pour ce dernier. À la fin du XXᵉ siècle, Michael Crichton, dans *Jurassic Park* et *Le Monde Perdu*, met en scène des dinosaures ressuscités grâce aux miracles de la génétique* et qui parviennent à échapper au contrôle des hommes. Même le fameux docteur Jones a eu affaire à eux dans l'ouvrage *Indiana Jones and the Dinosaur Eggs*, de Max McCoy, publié en 1996.

En y tapant "dinosaure", le moteur de recherche Google renvoie plus de 600 000 références, et 16 millions en tapant le terme en anglais ! Difficile de rester ignorant sur le sujet, même s'il faut rester prudent, car les informations diffusées ne sont pas toujours vérifiées par des spécialistes.

Les dinosaures sont aussi les vedettes des jeux vidéo. Depuis Super Mario *au très récent* King Kong *en passant par* Tomb raider *ou encore* Turok, *les théropodes ont la part belle dans le palmarès des méchants. Le jeu* Carnivores *nous permet même de chasser les dinosaures !*

🔵 Le grand écran...

Bientôt les dinosaures sont passés du papier à l'écran. *Le Monde perdu* de Conan Doyle a été adapté une première fois en 1925, puis en 1960. Les dinosaures étaient alors représentés comme des monstres de carton-pâte ou des gros lézards "déguisés à la manière de"! Grâce aux progrès des effets spéciaux, les maquettes artisanales des premiers films ont laissé place aux images de synthèse d'un réalisme époustouflant utilisées dans les trois œuvres *Jurassic Park*, ou encore dans le dernier film *King Kong* de Peter Jackson, sorti en 2005.

🔵 ... et le petit

Dans un registre plus éducatif, des documentaires télévisés ont donné la part belle aux dinosaures : ils n'étaient plus vus seulement comme des monstres sanguinaires, mais tout simplement comme des animaux. Dans le film *Sur la Terre des dinosaures* produit par la télévision britannique BBC, les réalisateurs ont reconstitué, aidés par plusieurs centaines de scientifiques, le climat, les paysages, la morphologie des reptiles, etc. Dans le DVD offert, on suit, fasciné, le safari préhistorique du reporter fou de la BBC, Nigel Marven.

Dans le film Le Monde perdu *(1925), un* Allosaurus *attaque férocement un* Brontosaurus. *Ces créations étaient fabriquées à l'époque avec de l'argile et du caoutchouc !*

Tarbosaurus, une apparition plus que réelle dans le film Sur la trace des dinosaures *(voir DVD).*

🔵 Les dessins animés

Le premier film d'animation, *Gertie le Dinosaure*, consacré aux fameux reptiles date de 1914. Dans les années 1940, les studios Walt Disney produisent *Fantasia*, mettant en scène l'histoire de la vie sur Terre et notamment la fin des dinosaures, décimés par les volcans et les divers bouleversements climatiques qui en résultent. Dans *Dinosaures*, Aladar le gentil iguanodon doit lutter contre de très cruels carnotaures avec l'aide d'autres dinosaures herbivores alors qu'ils sont à la recherche de contrées au climat plus clément.

Même si les dinosaures ne sont qu'un groupe fossile parmi tant d'autres, de nombreux étudiants désirant devenir paléontologues ne rêvent de travailler que sur eux, à tel point, qu'aux États-Unis des formations exclusivement dédiées à ce groupe de reptiles sont dispensées dans plusieurs universités.

Certains ont vu dans la légende du monstre du Loch Ness la survivance d'une lignée de reptiles marins, les plésiosaures. Cette hypothèse est fort peu probable car il n'existe dans le registre fossile récent aucun indice permettant de la soutenir.

Lexique

Bipède et quadrupède
Un animal bipède se déplace au sol sur deux pattes. C'est le cas de l'homme, des oiseaux et bien sûr des théropodes. Un animal quadrupède se déplace au sol en utilisant ses quatre membres. Une majorité de mammifères, reptiles et amphibiens actuels sont quadrupèdes.

Cénozoïque
Période de temps définie par les géologues comprise entre 65 millions d'années et maintenant, caractérisée par l'essor des mammifères et l'apparition de l'homme.

Chaîne alimentaire
Terme utilisé en écologie pour désigner l'ensemble des êtres vivants, animaux et végétaux, qui se nourrissent les uns des autres. Les végétaux représentent en général le premier maillon, puis viennent les animaux herbivores et enfin les carnivores.

Crise K/T
C'est la fameuse crise biologique qui a vu la disparition des dinosaures. Le K signifie en allemand "Kreide" (la craie) et désigne le Crétacé, et T veut dire Tertiaire (partie du Cénozoïque).

Denticules
Ce terme désigne les petites dents qui forment les bordures des dents des théropodes.

Envergure
Distance d'un bout à l'autre d'une aile.

Épine neurale
Partie dorsale des vertèbres se terminant en pointe plus ou moins large.

Érosion
Ensemble des processus conduisant à la destruction des roches. Elle peut être provoquée mécaniquement (sous l'action du vent, des vagues, des animaux) ou chimiquement (par dissolution, par exemple).

Gésier
Dernière poche de l'estomac des oiseaux aux parois fortement musclées, surtout chez les oiseaux granivores (qui mangent des graines). Les oiseaux y introduisent souvent des cailloux pour favoriser la fragmentation de la nourriture.

Invertébrés
Animaux dépourvus de vertèbres et plus généralement de squelette interne. Les insectes, crustacés, vers, pieuvres sont des invertébrés.

Mésozoïque
Période de temps définie par les géologues comprise entre 250 et 65 millions d'années. Cette période est divisée en trois intervalles : le Trias (250 à 205 millions d'années), le Jurassique (205 à 135 millions d'années) et le Crétacé (135 à 65 millions d'années)

Métabolisme
Ensemble des réactions chimiques se produisant dans les cellules de l'organisme. Ces réactions permettent soit d'extraire l'énergie des composants alimentaires, soit de fabriquer ou réparer les constituants des cellules.

Opportuniste
Animal qui mange ce qui lui tombe sous la dent. C'est l'inverse des animaux spécialisés qui ne peuvent manger que certains types de nourritures.

Organe sensoriel
Partie du corps servant à percevoir l'environnement. Les cinq organes sensoriels des vertébrés sont les yeux (vue), le nez (odorat), les oreilles (ouïe), la langue (goût) et les zones sensitives de la peau (toucher).

Plaques dermiques
Structures osseuses aplaties qui se situent sous la peau de certains animaux. Ces plaques peuvent avoir une fonction de protection ou une fonction de capteur de chaleur.

Sauropode
Groupe de dinosaures herbivores quadrupèdes comptant parmi les plus gigantesques animaux terrestres que la Terre ait connus. Ces animaux à queue et cou démesurément longs sont divisés en trois grandes familles : les titanosauridés (*Argentinosaurus*), les brachiosauridés (*Brachiosaurus*) et les diplodocidés (*Diplodocus*).

Sucs gastriques
Pour digérer, les animaux ont dans leur estomac des liquides très acides qui décomposent la nourriture : les sucs gastriques.

Vertébrés
Animaux qui possèdent un squelette interne et surtout un corps rigidifié par des vertèbres emboîtées constituant une colonne vertébrale. Les poissons, amphibiens, reptiles et mammifères sont des vertébrés.

Index

Références iconographiques

1re de couverture : Ch. JÉGOU ; hg et hd : F. TEMPESTA – 4e de couverture : F. TEMPESTA ; b : BBC – p. 1 : F. TEMPESTA – p. 3 : F. TEMPESTA – p. 4 hd et bd : F. TEMPESTA ; m : Rex Features/SIPA – p. 5 : h et m : F. TEMPESTA ; b : RUE DES ARCHIVES/BCA – p. 6 : p. Coredoc – p. 6-7 : F. TEMPESTA – p. 8-9 : E. ÉTIENNE ; p. 9 : D. SANZI – p. 10-11 : M. FONTAINE – p. 11 : P.E. DEQUEST (bassins) – p. 12 h: *The Yale college scientific Expedition of 1872*, Peabody Museum of Natural History ; b : Mary Evans/KEYSTONE – 13 hg : Mary Evans/KEYSTONE ; bd : DR – p. 14 h : RUE DES ARCHIVES ; m : E. Buffetaut ; b : RUE DES ARCHIVES/The Granger collection NYC – p. 15 hd : Ch. JÉGOU ; bg : F. TEMPESTA – p. 16-17 : E. LEROUX – p. 17 : R. Amiot – p. 18-19 : F. TEMPESTA – p. 20 h : G.P. FALESCHINI ; b : BBC – p. 21 : M. FONTAINE ; encadré : L. Psihoyos/CORBIS – p. 22 : F. TEMPESTA – p. 23 : schéma : L. BLONDEL ; b : F. TEMPESTA – p. 24 h : J. Le Lœuff ; m : capture écran : BBC – p. 24-25 : S. TELLESCHI – p. 26-27 : F. TEMPESTA – p. 28 h : L. Psihoyos/CORBIS – p. 28-29 : M. FONTAINE – p. 30-31 : F. TEMPESTA – p. 32-33 : P.E. DEQUEST – P. 34 b : captures écran : BBC – p. 34-35 : A. MORANDI – p. 36-37 : E. LEROUX – p. 38-39 : F. TEMPESTA – p. 40 : L. BONDEL – p. 40-41 : F. TEMPESTA – p. 42-43 : F. TEMPESTA – p. 44 h : RUE DES ARCHIVES ; b : J. Le Lœuff – p. 44-45 : F. TEMPESTA – p. 46-47 : M. FONTAINE – p. 48 : capture écran : BBC – p. 48-49 : F. TEMPESTA – p. 50 ; captures écran : BBC – p. 50-51 : Ch. JÉGOU – p. 52 h : Rex Features/SIPA – p. 52-53 : F. TEMPESTA – p. 54-55 : M. FONTAINE – p. 56 : M. FONTAINE – p. 57 : BBC/BBC Worldwide Limited ; captures écran : BBC – p. 58 h : M. FONTAINE ; b : F. TEMPESTA – p. 59 : M. FONTAINE ; photo : J. Le Lœuff – p. 60 : BBC/BBC Worldwide Limited – 61 : P.E. DEQUEST ; captures écran : BBC – p. 62-63 : F. TEMPESTA ; captures écran : BBC – p. 64-65 : F. TEMPESTA – p. 66-67 : A. MORANDI – p. 68-69 : F. TEMPESTA – p. 69 : schéma : L. BLONDEL ; capture écran : BBC – p. 70 h : P.E. DEQUEST ; schéma : L. BLONDEL – p. 70-71 : P.E. DEQUEST ; b : F. Franklin II/AP/SIPA – p. 72-73 : E. LEROUX – p. 73 : schéma : L. BLONDEL – p. 74 h : CORBIS SYGMA ; b : Agence Martienne – p. 75 : RUE DES ARCHIVES/BCA ; capture écran /BBC.

Toutes les silhouettes hommes/dinosaures ont été réalisées par. L. BLONDEL.
Les pictogrammes illustrant la frise ont été dessinés par N. Julo.

VOIR LES ANIMAUX

Nos cousins les **primates**
EMMANUELLE GRUNDMANN

Les **dinosaures** attaquent

Espèces en **danger**

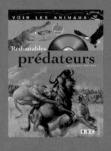
Redoutables **prédateurs**
FRANÇOIS MOUTOU

Étonnants **insectes**
RODOLPHE ROUGERIE

Les **mammifères** disparus

Sous l'œil des **rapaces**

Sur la piste des **ours**

Les **pouvoirs secrets** des animaux

Surprenants **serpents** et **lézards**

Poneys et **chevaux**

Sur les traces des **félins**

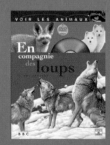
En compagnie des **loups**

Le **requin**, seigneur des mers

L'univers des **baleines** et des **dauphins**

VOIR L'HISTOIRE

La **préhistoire**

Au temps des **pharaons**

Rois et **Reines** de France

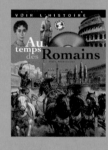
Au temps du miracle **grec**
JEAN-PIERRE ADAM

Au temps des **Romains**

La **Chine** impériale

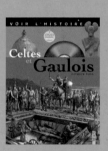
Celtes et **Gaulois**

Des Olmèques aux **Aztèques**

Louis XIV, le destin d'un **roi**

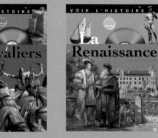
La vie des **chevaliers**

La **Renaissance**

De Bonaparte à **Napoléon**

La Première **Guerre** mondiale

La Seconde **Guerre** mondiale

Corsaires et **Pirates**